Née à Paris, Jeanne Bourin a fait [...]
puis a préparé une licence de lettres et une [...]
*Sorbonne. Mariée à vingt ans à André Bourin, journaliste, critique
littéraire, producteur de radio et télévision, elle s'est consacrée à
l'éducation de ses trois enfants avant de reprendre ses travaux.
Romancière et historienne, Jeanne Bourin a d'abord publié trois
livres :* Le bonheur est une femme *qui évoque les amours de
deux poètes du XVIᵉ siècle, Pierre de Ronsard et Agrippa d'Aubigné;*
Très sage Héloïse, *couronné par l'Académie française, où revit
celle qui fut aimée d'Abélard, et une biographie « animée », mais
composée sur des bases rigoureusement historiques, d'Agnès
Sorel, dame de Beauté. Jeanne Bourin consacre ensuite sept ans à
la documentation et à la rédaction de son roman* La Chambre
des dames. *Grand Prix des lectrices de* Elle *et Prix des Maisons
de la Presse, ce livre a reçu un accueil enthousiaste de la critique
et du public. Il a été traduit en huit langues. La suite de* La
Chambre des dames, *parue sous le titre* Le Jeu de la tentation *au
printemps 1981, s'imposa à son tour comme un grand succès en
librairie, Prix Renaissance 1982. Ces deux romans ont fait en 1983
l'objet d'une adaptation télévisée en dix épisodes diffusés par TF1
(23 décembre 1983-24 février 1984). Réalisateur : Yanick Andréi;
principaux interprètes* Le *Marina Vlady, Henri Virlogeux, Sophie
Barjac. Jeanne Bourin a publié, en collaboration avec Jeannine
Thomassin, un livre de cuisine médiévale « Pour tables
d'aujourd'hui »,* Les Recettes de Mathilde Brunel. *Son dernier
roman,* Le Grand Feu *(La Table Ronde, 1985) se situe dans la vallée
du Loir, à Fréteval, et à Blois, à la charnière des XIᵉ et XIIᵉ siècles.*
Le Grand Feu *a obtenu le Grand Prix littéraire 1985 de la Société
amicale du Loir-et-Cher à Paris.
Jeanne Bourin est aussi conférencière. Elle a maintes fois participé
à des émissions de radio et de télévision, tant en France qu'à
l'étranger (Suisse, Belgique, Canada, etc.). Elle publie également
des articles dans divers quotidiens, revues et magazines. Elle a écrit
plusieurs préfaces à des ouvrages parmi lesquels* Les plus belles
pages de la poésie française *(Éditions du Reader's Digest, 1982).
L'ensemble de son œuvre a reçu le Grand Prix littéraire des Yveli-
nes en 1981. Jeanne Bourin a fait partie des jurys du Prix Chateau-
briand, du Prix de la Ville de Paris, du Prix Alexandre Dumas et du
Prix Richelieu. Elle est membre de la société des Gens de Lettres de
France, du P.E.N. club international et des Écrivains catholiques.*

JEANNE BOURIN

Très sage Héloïse

ROMAN

LA TABLE RONDE

L'amour? Une invention du XIIe siècle!
CHARLES SEIGNOBOS.

Où est la très sage Héloïse,
Pour qui fut chastré et puis moine
Pierre Esbaillart à Sainct-Denys?
FRANÇOIS VILLON.

On rapporte que, peu de temps avant sa
mort, Héloïse avait pris les dispositions
nécessaires pour être ensevelie avec Abélard. Lorsqu'on ouvrit sa tombe et qu'on
l'y déposa près de lui, il étendit les bras
pour l'accueillir, et les referma étroitement
sur elle. Ainsi contée, l'histoire est belle,
mais, légende pour légende, on admettrait
plus volontiers qu'en rejoignant son ami
dans la tombe Héloïse ait ouvert les bras
pour l'embrasser.
ETIENNE GILSON.

Me sera-t-il pardonné, Seigneur? J'ai tant aimé. Si une âme peut trouver justification dans l'intensité même de la passion qui l'a investie, je ne crains rien, Seigneur. Vous savez quelle ardeur m'a consumée.

Cet amour, si longtemps cabré contre Votre sentence, cet amour qui ne fut que déchaînement et déchirement, ce don sans restriction d'un être à un autre être, trouvera-t-il grâce, lui aussi, devant Vous?

Du plus profond de ce corps vaincu où mon cœur achève de s'user, Seigneur, je crie vers Vous!

Ne me condamnez pas à demeurer, pour l'éternité, séparée de celui dont le nom envahit mes prières. Me le rendrez-vous?

O Pierre! nos noces sont-elles enfin sur le point d'être à jamais consacrées?

Je vais mourir, Pierre. Depuis vingt-deux ans, j'attends cette minute. Au seuil de la mort, j'en demeure confondue : comment ai-je pu vivre tant d'années sans toi, si longtemps après toi?

Tu l'avais prévu. Tu me l'avais écrit et je t'avais répondu que je ne pourrais pas te survivre; qu'en te perdant, je perdrais ma vie. Je le croyais. A l'avance, la pensée de ta mort était pour moi un engloutissement. Mais j'ignorais ma propre résistance. C'était toi, bien sûr, qui avais raison.

Ces vingt-deux années, tout entières occupées par mes devoirs d'état et par mon amertume, ces années sans merci, se figent dans mon souvenir comme des larmes gelées.

Ton absence fit de ce temps d'exil un hiver qui ne finissait plus. Quel triste pèlerinage! Et, cependant, mon bien-aimé, j'ai veillé à tenir dignement, sans défaillance, la place que tu m'avais assignée. Je crois y être parvenue.

Tu me désirais forte : j'ai voulu le devenir. Tu m'imaginais apaisée, j'ai donné à tous le spectacle de ma sérénité. Tu m'avais façonnée à tes méthodes de travail, je les ai poussées aussi loin qu'il m'a été possible. Il n'est pas jusqu'à la sagesse antique, dont tu faisais un tel cas au temps de ta gloire, que je n'aie copiée.

Aux yeux du monde, j'ai accompli ma tâche ainsi qu'il se devait. On vante mon érudition, ma compétence, mon détachement des biens temporels, ma fermeté de caractère..., on va jusqu'à parler de ma perfection!

Dérision et apparence!

J'ai pu m'astreindre à me comporter ainsi que tu le souhaitais. Je n'ai pu, au fond de moi, vaincre ma faiblesse ni étouffer ma douleur.

Si je suis parvenue à me repentir de mes fautes d'autrefois, ce ne fut jamais avec assez de contrition, et les pénitences subies ne sauraient compenser, je le sais, la tiédeur de mes regrets. Le mal que je t'ai fait malgré moi, oui, celui-là me désespère. Quant aux péchés commis dans tes bras, je ne trouverai jamais en moi la force de les condamner.

Maintenant encore, alors que mes sens, depuis longtemps refroidis, ne me tourmentent plus, je ne puis prendre en aversion ce qui fut notre délire, et je conserve, envers certains instants de notre passé, une coupable indulgence...

Je ne Vous l'ai jamais dissimulé, Seigneur. Pierre, je te l'ai déjà dit : je suis glorifiée parmi les hommes, mais je n'ai aucun mérite devant Dieu qui sonde les cœurs et les reins, et qui voit clair dans nos ténèbres.

Alors que me voici parvenue au terme de mon combat, je désire, avant de paraître devant mon juge, dresser un ultime bilan de mes fautes et de mes souffrances, de mes transports et de mes renoncements. Comme l'organisatrice avisée que l'on me félicite d'être, je souhaite laisser tout en ordre derrière moi, et, jusqu'au tréfonds de mon âme, porter la lumière.

15 MAI 1164

« DEPUIS sexte, notre mère abbesse n'a pas prononcé un mot, pas ouvert les yeux!

– Dieu nous vienne en aide, sœur Margue! »

Une pluie de printemps tombait sur les massifs d'ancolies, sur les iris et sur le buis en fleur du jardin clos. Sous le cloître, il faisait sombre, bien qu'on fût au mois de mai.

La prieure, qui marchait en égrenant son chapelet, s'était immobilisée pour faire face à la sœur infirmière.

« Depuis des semaines, nous nous doutions toutes que son mal était inguérissable, dit-elle d'un ton volontairement mesuré où frémissait cependant une tension inhabituelle. A présent, nous voici fixées. Vous savez comme moi que le médecin de la défunte comtesse Mathilde, lors de sa visite matinale, ne nous a laissé aucun espoir. Notre mère est à bout de résistance. Son cœur l'abandonne. Nous n'avons plus que le recours de la prière. »

Le voile de lin noir encadrait un visage aux méplats accusés, que la maturité accentuait en le durcissant un peu. Sur les traits de la mère Agnès se lisait une intransigeance spirituelle que l'on sentait plus aiguisée chez elle que tout autre sentiment. D'une bonté active, sans faiblesse, d'un dévouement dont on ne connaissait pas les limites, elle alliait à un sens pratique, dont tout le monastère bénéficiait, une ferveur d'apôtre qui ne laissait pas d'intimider certaines.

« Qu'allons-nous devenir sans notre mère Héloïse? »

Dans la voix de la sœur infirmière vibrait une

familiarité débordante de tendresse et d'admiration. Ses lourdes épaules se courbaient sous la peine. Encore jeune, bâtie en campagnarde, elle était mieux faite pour soigner les malades et fabriquer des onguents avec les simples, dont elle n'ignorait aucune vertu, que pour supporter le fardeau d'une épreuve qui la touchait au cœur. Son visage sans finesse était empreint de désarroi.

« Dans quel état se trouvait-elle quand vous l'avez quittée?

– Elle gisait sans mouvement. En m'approchant pour essuyer la sueur qui coule de son front, j'ai vu bouger ses lèvres.

– Il ne convient pas de la troubler.

– Dieu m'en garde! Si cela vous est possible, cependant, j'aimerais que vous veniez la visiter un moment, avant none. Elle est si pâle, si défaite, que je crains, à tout instant, de la voir passer.

– Allons. »

L'odeur du jardin humide de pluie pénétra dans l'infirmerie avec les deux femmes qui l'avaient retenue entre les plis de leurs robes de laine noire. La pièce, au plafond bas, soutenu par des poutres de chêne foncé, n'était pas grande. Encadrés de rideaux de toile aux plis cassants, des lits de bois, alignés le long du mur, remplissaient presque tout l'espace libre. Comme les fenêtres, garnies de feuilles de parchemin poncé, ne laissaient filtrer que peu de clarté, on avait allumé, auprès de la seule couche qui fût occupée, une chandelle dont la mèche grésillait en se consumant. Le sol était jonché d'hysope, de mélisse et de menthe fraîche. Pour achever de purifier l'air où traînaient des relents médicamenteux, un feu de romarin brûlait dans la cheminée de pierre.

Les deux seules sources lumineuses de la salle se trouvaient réparties de part et d'autre du lit de l'abbesse, lui-même un peu à l'écart des autres. Dans la pénombre, des reflets mouvants tremblaient sur les draps, sur le coussin de tête et sur le visage sans couleur de celle qui se mourait, comme si elle attirait vers elle toute la clarté de la pièce.

Deux novices à genoux priaient en silence.

Mère Agnès s'approcha. Sur la couverture en peau de mouton, on avait déposé le manteau noir de l'abbesse. La prieure entendait derrière elle la respiration de la sœur infirmière.

« N'a-t-elle rien pris depuis qu'elle a reçu l'extrême-onction?

– Rien. Je n'ai pas osé la déranger.

– Vous avez bien fait, sœur Margue. Il y a dans son oraison quelque chose de sacré. »

A ce moment, une des mains de la malade, celle qui portait l'anneau d'or de sa charge, se souleva un peu, comme à la recherche d'un objet.

« Que veut-elle?

– Je ne sais. »

L'abbesse remua d'un geste alenti sa tête qui conservait, en dépit de la maladie, une noblesse qu'accentuait en l'épurant la coiffe de lin des moniales. Un instant, elle ouvrit les yeux, regarda autour d'elle et désigna du doigt un livre de psaumes posé à son chevet, sur un trépied, entre la croix pectorale qu'il avait fallu lui retirer, et un gobelet d'étain contenant de l'élixir de thériaque préparé par sœur Margue.

« Nous aurions dû y songer, murmura l'infirmière : c'est le psautier que lui avait autrefois envoyé maître Pierre Abélard... »

Avec précaution, la sœur prit l'ouvrage et le posa sur le drap, contre la main de l'abbesse. Les doigts aux ongles bleus se soulevèrent alors, avec effort, pour se poser sur le parchemin enluminé qu'ils caressèrent lentement, dévotement, en un mouvement de va-et-vient qui était à lui seul un acte de possession.

Mère Agnès et sœur Margue suivaient des yeux le geste tendre qui semblait rythmer une litanie.

« Il existait à Paris une jeune fille nommée Héloïse. »

Te souviens-tu, Pierre, d'avoir tracé ces mots dans la lettre adressée à un de tes amis, lettre dont on a tant parlé? Peu de temps après que tu l'eus écrite, un hasard, dont je ne sais pas encore s'il fut heureux ou malheureux, me la mit entre les mains. En découvrant cette phrase, une émotion semblable à une brûlure m'embrasa. Je l'éprouve toujours en y pensant.

C'est, en effet, ainsi que tout a commencé.

Une jeune fille de seize ans, fraîchement sortie du monastère de Sainte-Marie d'Argenteuil, voilà celle que j'étais alors. Au couvent, je m'étais montrée précocement attirée vers les disciplines intellectuelles, et mon oncle avait encouragé ce penchant en me faisant donner des leçons supplémentaires. Tu connais l'obstination qui m'habite et la ténacité dont je sais faire preuve. Mes études furent ma première passion. Je puis dire que, des années durant, je me suis nourrie de grec, de latin et d'hébreu. Les Ecritures, la théologie, la physique, la versification et la musique, sans compter les arts féminins plus répandus, m'avaient livré leurs secrets. De ces connaissances, amassées avec tant de zèle, je ne devais pourtant recueillir que des fruits amers. Qui l'eût cru à ce moment-là? J'avais acquis, toute jeune encore, une certaine renommée du fait de cette culture que peu de femmes, en ce siècle, ont été à même de posséder. On parlait de moi dans le royaume. Je n'étais pas sans le savoir et j'en tirais vanité. Cependant, si j'avais beaucoup appris dans les livres, je ne connaissais, en revanche, rien de la science, combien plus essentielle, de la vie!

L'esprit paré, l'âme candide, j'étais plus exposée aux tribulations de l'existence que mes compagnes, sans doute moins savantes que moi, mais tellement mieux informées. Quand il leur arrivait de se rendre dans le sein de leurs familles, elles y retrouvaient des parents, des sœurs, des frères, des amis, tout un univers dont les exemples et les propos les instruisaient mieux des réalités de chaque jour qu'une bibliothèque entière de manuscrits grecs ou latins!

Il n'en était pas de même pour moi. Orpheline, prise en charge par le frère de ma mère, chanoine à Notre-Dame, je ne sortais du monastère de Sainte-Marie que pour demeurer sous le toit quasi monacal de mon oncle. Feutrés, étouffés, les échos de la ville ne troublaient guère ce coin de paix. Elevée dans un univers innocent, pétrie de certitudes et d'idées livresques, j'abordai, la tête en feu et le cœur froid, aux rives de ma jeunesse.

Depuis lors, songeant à ces premières années, je me suis étonnée de ce que, pendant le temps passé à Argenteuil, rien, en moi, ne se soit enflammé d'amour pour Dieu. Tu sais l'ardeur dont je suis animée et que je peux tout immoler à mon adoration. Comment mon âme est-elle restée assoupie, alors qu'on nous lisait, chaque jour au réfectoire, des récits pleins d'exaltation relatant la vie des saints, et que j'avais une sous-prieure dont nous savions toutes qu'elle était comblée de grâces? Puisque j'étais faite pour aimer d'un amour absolu, j'aurais dû me donner au Seigneur.

Cependant, aucune révélation, aucun élan ne me poussa jamais vers le service divin. Seul, mon esprit veillait. Mon cœur, mon corps, mon âme aussi, comme dormant, vivaient dans un état semi-léthargique.

J'en suis venue à penser que, par destination, j'étais mise en réserve pour un autre devenir! Sans le savoir, je t'attendais. Pour toi, que j'ignorais, j'accumulais des réceptacles de vénération et de tendresse, afin de t'en faire don, sans partage, quand l'heure serait venue. Et l'heure approchait...

Comme je ne le savais pas, je coulais des jours de labeur et de vertu chez mon oncle Fulbert. Te souviens-tu de sa maison? Elle était blanche, à colombage et à pignon, située dans le cloître Notre-Dame. J'aimais cet enclos réservé aux chanoines et à leurs familles, véritable petite cité entourée de murs d'enceinte percés de quatre portes qui nous isolaient de Paris, et je me sentais chez moi dans ses rues, où chaque habitation possédait son jardin. Le nôtre, qui descendait vers la Seine, débordait de poiriers, de pruniers, de noisetiers que je pillais, suivant les saisons. On y avait mêlé les fleurs et les légumes, et je pouvais y cueillir à volonté des roses et des épinards, des œillets, des sauges ou du basilic.

Le parfum de cet endroit, perdu pour moi, ne ressemble à aucun autre. C'est en vain qu'ici, au Paraclet, beaucoup plus tard, je tentai de retrouver, parmi les plantes que je fis semer dans le jardin d'herbes, la senteur de mon adolescence.

Dans ce lieu tranquille, je vivais sans souci et tout m'y était divertissement. A mes pieds coulait le fleuve, animé d'un incessant mouvement de batellerie qui m'occupait des heures durant. De ma fenêtre, par-delà les frondaisons de notre clos, je regardais l'agitation du port Saint-Landry, tout proche, où accostaient en un va-et-vient sans fin des barques et des bateaux chargés de mille marchandises diverses.

Quand je sortais dans la ville, les rues de Paris, grouillantes de monde, m'enchantaient. Avec Sibyle, cette servante que tu as connue, je parcourais en premier les abords de l'école Notre-Dame où des écoliers et des clercs de tous les pays s'interpellaient en quantité de langues étrangères. Le bruit de ton nom m'y frappa, un jour. Sans cesse répété, il me devint bientôt familier. Parmi cette foule estudiantine, qui ne parlait de toi? Ta célébrité s'étendait bien au-delà de nos frontières, et faire partie de ceux qui étaient admis à t'écouter passait pour une faveur insigne.

Cependant, tu n'étais alors pour moi que le plus illustre des philosophes, que le plus admiré des maîtres, et pas encore l'Unique, le seul homme digne d'être aimé. Ta pensée ne m'absorbait pas au point de rendre le reste du monde sans attraits à mes yeux, et je musais dans la cité, toutes les fois que je le pouvais, en quête de spectacles et de nouveautés.

D'un bout à l'autre, je parcourais avec ma suivante la ville, presque tout entière contenue dans son île, depuis le palais royal, en aval, avec son jardin et les treilles du roi, jusqu'à son quartier religieux, en amont, où nous habitions. Je m'attardais volontiers rue de la Vieille-Juiverie, non loin de la synagogue, dans les échoppes où je tâtais des étoffes venues de Perse, où je goûtais les épices importées d'Orient, et où un vieil orfèvre, que je connaissais, me laissait essayer les bijoux qui me tentaient. Quand j'étais lasse d'errer de la sorte, j'entraînais Sibyle, au hasard, vers une chapelle, et nous priions un moment côte à côte, dans un parfum d'encens et de cire. Ensuite, je plongeais de nouveau dans les rues étroites où tout un peuple se pressait. Il y avait de tout dans cette cohue : des jongleurs montreurs d'animaux savants, dont le bagou m'amusait; des bouviers qui poussaient devant eux des bœufs affolés, et il fallait se garer; des mendiants plus ou moins estropiés ou aveugles; des portefaix cherchant querelle pour une vétille à quelque crocheteur; des vendeurs d'eau avec leurs seaux en équilibre sur leurs épaules; des marchands d'oublies auxquels j'achetais souvent des gâteaux; des colporteurs qui savaient, avec leur boniment plein d'adresse, m'extorquer un ou plusieurs deniers; beaucoup de pèlerins enfouis sous leurs larges chapeaux de Saint-Jacques, avec la coquille et le bourdon; des moines vêtus de bure et les pieds nus; des cavaliers portant parfois leur belle en croupe; des hérauts d'armes, toujours pressés; des dames dans des litières, que j'essayais d'apercevoir derrière les rideaux baissés; des médecins à la mine importante, montés sur leur mule; et des crieurs de vin du roi, qui voulaient à toute force me faire déguster leur dernier cru.

Une curiosité jamais épuisée me poussait vers les boutiques des tisserands, quand je désirais un manteau neuf; dans celles des merciers où je trouvais les plus belles soieries du Levant; dans celles des pelletiers, car j'ai toujours aimé les fourrures douces et chaudes au corps. Je m'arrêtais chez les chapeliers ou les herbiers, vendeurs de si gracieuses coiffures et couronnes de fleurs, chez les enlumineurs ou les ciseleurs que je regardais travailler avec émerveillement. Les marchands d'oiseaux me retenaient de longs instants devant les cages jacassantes d'où jaillissaient des plumages de toutes les nuances et des chants inconnus de moi. Je baguenaudais aussi devant les étalages des vendeurs d'écuelles ou de patenôtres, d'escarcelles ou de tablettes à écrire dont je faisais une grande consommation, et il n'y avait pas jusqu'aux armes de Tolède qui ne retinssent mon attention.

Quand la cloche de Saint-Merry, ou celle de Sainte-Opportune, avait sonné l'angélus, les échoppes fermaient et je rentrais à la maison, les jambes rompues et sans un sol dans mon aumônière. Qu'importait? Je n'avais qu'à demander pour recevoir. Je croyais être heureuse, et, au demeurant, je l'étais sans doute.

Plus tard, tu m'as fait connaître les vertiges et les emportements de la passion, ses fièvres et ses félicités, mais plus jamais il ne m'a été donné d'éprouver ce bonheur sage qui se contentait de la saveur d'un fruit ou de l'achat d'une ceinture à mailles d'or. Je ne pense pas, au reste, avoir été faite pour ce genre de contentement paisible. Très vite je m'en serais lassée. En moi, sans que je le sache, résonnaient en sourdine d'autres appels...

Néanmoins, à cette aube de ma vie, j'étais encore, et pour peu de temps, l'enfant spontanée et candide qu'aimait si fort l'oncle Fulbert. Car il m'aimait comme un père, cet homme dont l'affection était un alliage de fierté, d'habitude et d'égoïsme. Son souci majeur était ma réputation. Sa nièce passait pour la femme la plus instruite de son époque : il s'en dilatait d'orgueil!

Aussi rien n'était-il trop bon ni trop beau pour moi. Lui, qui devint l'artisan de notre malheur, lui, que j'ai si souvent maudit par la suite, n'était alors qu'un brave homme qui m'appelait sa fille et ne savait comment me choyer.

Je le revois, dans sa robe de chanoine, massif, haut comme un chêne, prenant énormément de place, et je me souviens que ses mains, noueuses et capables de broyer n'importe quelle poigne normale dans une simple pression, me déplaisaient. Des mains de tueur de bétail.

Avec moi, pourtant, il était sans méchanceté. Sur ses traits, taillés à coups de serpe dans un bois rude, passait une sorte de bonté quand il me regardait. Tant que je suis demeurée telle qu'il se plaisait à m'imaginer, nos rapports furent sans heurts. A sa manière, il devait avoir aimé l'unique sœur qu'il avait eue, et je ressemblais à ma mère, morte trop tôt. Aussi reportait-il sur moi un peu de l'affection vouée à la disparue.

Et puis, j'étais son chef-d'œuvre! Vaniteux autant que dévoué, il s'était piqué au jeu et n'avait rien épargné pour faire de moi une femme illustre. La réussite de ses visées l'avait gonflé d'un contentement dont je bénéficiais. Croyant m'aimer pour moi-même, il m'aimait pour le lustre que je donnais à son nom. Depuis, il a démontré de quoi il était capable. A l'époque, aucun signe ne laissait deviner dans ses agissements le bourreau qu'il allait devenir. Je ne pressentais rien.

J'éprouve une certaine difficulté, Pierre, à me remémorer ce passé. Il m'arrive d'oublier que j'ai pu vivre avant de t'avoir connu.

Me voici parvenue à soixante-trois ans. Depuis quarante-six longues années, ta personne ou ton souvenir ont empli ma vie. En dépit des apparences, et de mes activités multiples, je puis confesser à la face du monde que tu n'as jamais cessé une minute d'être l'objet, le but, l'oméga de mes préoccupations ou de mes méditations.

A présent, je dois fournir un effort pour rechercher, au-delà de ton apparition dans mon existence, les témoignages à demi effacés du temps où je ne te connaissais pas... Et voici que, lentement, des fragments de ces jours oubliés ressurgissent, au dépourvu, du gouffre de ma mémoire.

Est-ce parce que je vais mourir?

Peut-être. Ce serait donc un ultime salut à la jeune fille que je fus, à celle dont tu parlais dans ta lettre, à celle qu'un jour, tu décidas d'aimer. Car tu le décidas, Pierre. Tu l'as reconnu depuis.

Jamais, pourtant, tu n'as relaté les circonstances dans lesquelles tu m'avais vue pour la première fois. Est-ce à moi de m'en souvenir? Ce détail, il est vrai, a peu d'importance.

Tu étais alors, clerc et chanoine, régent des Ecoles de Paris, professeur, plus que célèbre, de théologie et de philosophie. Ta réputation était telle qu'il n'y avait guère de maisons, dans notre quartier érudit, où on ne s'entretînt souvent de toi, le soir, à la veillée. Comme tout le monde, j'étais au courant de la longue et retentissante suite de tribulations qui t'avait victorieusement opposé, depuis des années, aux plus estimés de nos maîtres. On peut dire sans exagération qu'en même temps que le roi Louis VI tu régnais sur les étudiants de notre cité. Non seulement il en venait de tous les coins de France, mais ta renommée universelle en attirait de partout. De Suède, d'Allemagne, des Flandres, d'Angleterre, de Salamanque et de Rome, il en arrivait sans cesse, qu'on rencontrait en bandes dans les rues et qui ne savaient plus où loger.

Ta gloire était alors à son zénith. Ceux-là même qui n'avaient pas la chance d'être de tes auditeurs louaient, par ouï-dire, la vigueur, la fougue, la nouveauté et le génie que tu apportais à ton enseignement. On redoutait ton esprit qui n'épargnait personne et pouvait se montrer, selon ton humeur, capable d'enchanter ou de fustiger. Tes élèves disaient que tu transformais les sujets que tu traitais et que les plus moroses, dans ta bouche, devenaient passionnants.

Entre femmes, il était question surtout de ton charme, de ton élégance, de cette séduction si bien faite pour attirer les cœurs et qui se voulait insensible. Parmi mes amies, il en était une qui avait eu la fortune de t'approcher à la faveur d'une réception chez son père. Elle vantait ta voix de trouvère, tonnante ou caressante selon l'instant, aussi habile à chanter qu'à instruire.

Etait-il, humainement, possible de te résister?

Durant les repas où mon oncle aimait à convier des chanoines de ses amis, j'entendais louer ta culture, ton érudition, tes mérites, tes innovations et jusqu'à tes audaces. Si certain parlait de ton orgueil, on lui opposait ta vie consacrée aux études, ta chasteté, ta sagesse. Tu avais, certes, des ennemis virulents, mais, en revanche, beaucoup t'admiraient.

Les différents professeurs, qui se relayaient pour parfaire mon instruction, te citaient en exemple et me donnaient tes derniers cours à méditer. Qu'on t'aimât ou qu'on te honnît, tu ne laissais personne indifférent.

Avant même de te connaître, j'étais déjà nourrie de ta pensée, imprégnée de ton enseignement.

Il me restait à découvrir l'homme que tu étais. Pourquoi ne pas évoquer notre première rencontre?

C'était le lendemain de la Saint-Jean d'été. Il faisait chaud, et je me souviens que, la veille, un orage avait nettoyé les rues de Paris.

Je revenais des étuves publiques où j'avais l'habitude de m'aller baigner chaque semaine, et, légèrement vêtue, d'une chemise de lin finement tissée et d'un bliaud de soie azur, ceinturé par un galon d'orfroi, un chapeau de fleurs sur mes cheveux encore humides du bain, je rentrais au logis, tout en conversant avec Sibyle. Je me sentais jeune et avenante.

Si je n'ai jamais été de ces beautés voyantes qui subjuguent tous ceux qui les approchent, je savais d'instinct qu'il fallait une certaine distinction d'esprit et de goût pour me remarquer.

Mon oncle me disait souvent : « Ma fille, vous intimidez les hommes et c'est là une bonne chose! »

Peut-être était-ce parce que j'étais grande, que j'avais un front haut et bombé, ou que je tenais souvent baissés ces yeux que, plus tard, tu comparais à deux fenêtres ouvertes sur le ciel? Je ne sais. Il est des femmes faites pour plaire au plus grand nombre, et d'autres, plus secrètes, destinées à ne séduire que quelques-uns. J'étais de celles-ci, et, ne l'ignorant pas, j'en tirais une discrète satisfaction.

Je venais donc de quitter la rue de la Parcheminerie, quand une foule d'étudiants surgit soudain, du côté de l'école cathédrale. Contrairement à leur habitude, ils ne vociféraient pas, ne gesticulaient pas, entourant avec vénération un homme de haute taille qui allait parmi eux, devisant. On devinait sans peine de quel prestige jouissait ce maître auprès de ses élèves. Deux clercs, qui me croisèrent, te nommèrent en passant : « Messire Abélard, le philosophe... »

Curieuse, je te fixai, quand un troupeau de porcs, qui cherchaient, comme ils sont accoutumés de le faire, des détritus dans le ruisseau, me bouscula. D'un saut, je les évitai. Ce faisant, ma coiffure de fleurs tomba par terre. Un de tes étudiants, en riant, la ramassa et me la rendit. C'est alors que tu me regardas pour la première fois.

Debout sous le soleil de juin, décoiffée, confuse, malmenant entre mes doigts les roses et les jasmins de ma parure, je me sentis, avant d'avoir retrouvé mes esprits, jaugée, soupesée, estimée, en un regard.

Le souvenir de cette scène jamais ne me quittera.

Tu me saluas, et tu passas.

Dès cet instant, tout était dit. Ainsi que le visage du

Christ sur le voile de sainte Véronique, ton image s'était gravée dans mon cœur, à jamais.

« Vous êtes toute pâle, demoiselle », me dit Sibyle.

Je pouvais l'être, en effet. C'était mon destin que je venais de voir, face à face. Ce qui domine dans mon souvenir, en même temps que ce foudroiement, c'est une certitude. Je sus que ce serait toi, toi seul, qui remplirais ma vie.

Quelque chose, au plus profond de moi, venait de naître. Neuve et intacte, la passion qui sommeillait dans mon âme s'incarnait soudain.

Je n'avais plus qu'à attendre ton retour, que je sentais inéluctable. Je m'y préparai.

Peu de temps après, mon oncle me parla de toi. Ce fut sans surprise que je l'écoutai.

J'étais dans la salle de notre maison, occupée à broder au fil d'or une étole, tandis que les servantes préparaient le souper, et je rêvais à un poème d'Ovide sur l'amour que je venais de lire. Fulbert entra. Avec ses six pieds de haut, quand il pénétrait dans une pièce, elle semblait toujours rapetisser. La chape noire qui l'enveloppait, en ne laissant voir qu'assez peu de son surplis, accusait encore sa carrure de bûcheron. Il était fort agité par ce qu'il avait à me dire. Je ne me souvenais pas de l'avoir jamais vu en un pareil état.

« Ma nièce, s'écria-t-il, un grand honneur va nous échoir ! »

Je le regardai interrogativement.

« Je vous écoute, mon oncle. »

Je me revois interrompant mon ouvrage, car mes doigts tremblaient sur l'étoffe que je tenais.

« Vous n'êtes pas sans avoir ouï parler du grand Abélard...

– Qui ne le connaît de réputation ?

– Eh bien, ma nièce, vous allez être à même de le connaître beaucoup mieux. En personne, et aussi souvent que vous le voudrez. »

Je n'avais pas tant espéré. Il n'est pas dans ma

20

nature de m'attendre aux événements fastes. Je suis plus encline à prévoir le malheur que les joies. Je ne comprenais pas, d'ailleurs, par quel biais tu comptais te mêler à ma vie. Aussi n'eus-je pas à me forcer pour jouer l'étonnement.

Mon oncle m'expliqua que certain chanoine de ses amis lui avait fait rencontrer dans la journée l'illustre Abélard. Manifestement, l'honneur qui venait de lui échoir, le laissait ébloui, flatté.

« Ce maître, célèbre entre tous, m'a entretenu de la façon la plus courtoise, reprit-il avec complaisance. Il a paru prendre un réel intérêt à mes propos et a été jusqu'à approuver avec chaleur mes opinions sur l'art de la métaphore. »

J'ai su, depuis, ce que cachait une attention si subite. Tu as écrit toi-même, après m'en avoir parlé lors de nos premiers entretiens amoureux, que l'idée d'entrer en rapport avec Fulbert t'était venue dans le but précis de me séduire. Tu voulais amener mon oncle à te recevoir sous son toit dans l'unique pensée, ô mon bien-aimé! de me faire céder plus aisément. Tant de ruse n'était pas nécessaire. Tu étais déjà vainqueur de la place que tu souhaitais investir et, avant que tu aies commencé tes travaux d'approche, j'étais rendue à merci.

Tu pris donc la peine de déployer toute ton adresse pour obtenir ce que tu désirais et, pour ce faire, tu agis avec l'emportement propre à ta nature, c'est-à-dire, il faut bien l'avouer, sans la moindre prudence. Si le vieillard avait été de tempérament soupçonneux, la soudaineté de ton offre, son côté trop séduisant l'au-raient aussitôt mis en alerte. Mais il était à mille lieues de t'imaginer épris de sa nièce, et l'admiration qu'il te vouait l'empêchait de voir en toi autre chose que le plus brillant de tous les philosophes. Ce fut donc sans aucune peine que tu le décidas.

Sous le prétexte que les soins d'un ménage nuisaient à ton travail et te coûtaient fort cher, tu lui proposas de venir loger chez lui. Tu alléguas la proximité où l'école cathédrale était de notre demeure et les avantages qu'il y aurait à te trouver si voisin du lieu de ton enseignement. Flattant ensuite son goût de l'argent et le désir sincère qu'il ressentait de pousser mon instruction aussi loin que possible, tu lui offris, outre un prix de pension élevé, de me donner gratuitement des leçons, aussi souvent que tu le pourrais.

« Cette dernière proposition emporta mon assentiment, me confia Fulbert après avoir résumé la situation. Vous aurez de ce fait, ma fille, le maître le plus réputé de toute la chrétienté, et votre savoir, déjà hors de pair, va se parachever de la plus heureuse façon. Je me suis donc cru autorisé, sans plus attendre, à donner mon accord plein et entier à messire Abélard, en vue d'un tel arrangement. J'avoue l'avoir invité à consacrer à votre éducation tous ses instants de loisir, la nuit comme le jour, et je lui ai même octroyé la permission de vous châtier, si besoin en était. »

Bien calé sur ses jambes écartées, les mains croisées sur sa chape noire, mon oncle me considérait avec jubilation. Un tel projet le comblait. Il trouvait d'un seul coup le moyen de me faire instruire sans bourse délier, par un professeur exceptionnel, et de lui louer, par la même occasion, une chambre au prix fort. Pouvait-on rêver plus heureux accommodement?

Confondue par tant d'inconscience, je le dévisageai sans mot dire. Etait-il vraiment aveuglé à ce point? En dépit de ma jeunesse et de mon ingénuité, je devinais tout de suite tes intentions. N'étaient-elles pas limpides? Elles rejoignaient, en plus, si parfaitement mes propres souhaits que je n'hésitais pas une seconde sur les motifs réels qui t'avaient incité à agir. Un vertige, où l'appréhension se moirait de délices, s'empara de moi.

Abélard allait venir s'installer dans l'intimité de notre logis!

Mon oncle, bien loin de se douter des mouvements qui m'agitaient, s'employait à me démontrer les avantages de la situation. Tout en faisant mine de l'écouter avec déférence, je laissais mon imagination galoper et je n'ai pas souvenir d'avoir entendu un seul de ses arguments.

Une fièvre joyeuse me faisait battre le cœur. Quelle ne serait pas notre chance à tous deux – déjà je nous unissais dans ma pensée – de vivre entre les mêmes murs! La perspective de cette promiscuité quotidienne me ravissait. Je n'étais pas, pour autant, sans mesurer les risques que ta trop fascinante présence allait faire courir à ma vertu. Qu'importait! Je décidai sur-le-champ de me livrer à toutes tes volontés. Tant pis pour moi si, en retour, j'avais à subir quelques préjudices. Je pressentais que les enchantements que tu me dispenserais, compenseraient au centuple les épreuves qu'ils entraîneraient à leur suite.

On t'a beaucoup reproché, depuis, de t'être introduit chez moi dans l'unique intention de me suborner, sans amour, poussé seulement par un violent appétit de luxure.

Et quand cela serait? Il fallait bien un aiguillon au commencement d'intérêt que tu me portais. Tu m'avais aperçue dans la rue, tes étudiants t'avaient renseigné sur mon identité. Ce faisant, tu avais soudain découvert que les femmes existaient. Ce n'était pas là une mince trouvaille! Ta pensée, toujours active, enfin disponible, s'était alors emparée du nouveau sujet d'étude que j'étais devenue et ne m'avait plus lâchée.

J'aime à t'évoquer, ô mon amour, tel que tu étais au seuil de ta cruelle destinée : trente-huit ans, beau comme un dieu!

Parvenu au faîte des honneurs, tu restais sans rival. Ton ambition, momentanément assouvie, te laissait en repos. Interrompant, pour souffler, ta marche ascendante, tu prenais le temps de regarder autour de toi. Une soif toute neuve de jouissance s'emparait de tes sens. Non, non, il n'y a rien, là, de scandaleux. Ce qui t'arrivait n'était pas autre chose que l'aboutissement normal de la vie de continence, de labeur acharné, que tu t'étais imposée depuis ton adolescence, mais que tu ne pouvais continuer à mener indéfiniment.

Puisque tu venais de te décider à faire halte, n'était-il pas naturel que tu voulusses combler, d'un coup, les lacunes de ton passé uniquement consacré, jusque-là, aux études? Le temps était venu pour toi de découvrir d'autres accomplissements.

Quant au choix que tu fis, comment pourrais-je le critiquer?

Tu m'as avoué, depuis, que ma réputation de fille cultivée avait contribué à fixer ton attention. Nous partagions les mêmes goûts, nous vivions dans le même milieu, à l'ombre de Notre-Dame, et la femme que tu avais rencontrée t'avait plu. Dès lors, n'était-il pas naturel que tu me distinguasses et misses tout en œuvre pour m'amener à partager tes désirs? Comment a-t-on pu critiquer ta conduite, alors qu'elle demeurait si logique et qu'elle traduisait si fidèlement ton caractère volontaire, possessif et toujours impatient? En dépit de tes calomniateurs, je continue à penser que ton attitude n'impliquait aucune déloyauté à mon égard.

Une fois ton dévolu jeté sur ma personne, ton impétuosité te conduisit à me vouloir tout de suite, et sans restriction. Je ne te l'ai jamais reproché, jamais je ne te le reprocherai. Il aurait été bien plus dur pour moi de constater ton indifférence que de deviner les motifs de la fougue qui te poussait. Si ton amour fut, au début tout au moins, la conséquence d'une décision froidement arrêtée, il se transforma très vite en un entraînement si puissant que, pas plus que moi, tu ne sus y résister. La tentation charnelle, que je fus d'abord pour toi, se mua bientôt en une passion sans seconde et un même incendie nous enflamma tous deux. Depuis lors, il n'a pas cessé de brûler au plus profond de mon cœur et mon existence tout entière lui a servi d'aliment.

Vois-tu, elles devaient être infinies, les provisions d'attachement, de dévotion, de constance et d'adoration exclusive que j'avais engrangées, durant mes années studieuses d'Argenteuil, car l'amour, que tu allumas en moi, n'en vint jamais à bout. Il combla tout mon être, n'y laissant de place pour aucun autre culte, de quelque essence qu'il fût. C'était mon âme, Pierre, que je t'avais livrée! Ce don fut si total qu'aucune souffrance, aucune séparation, aucun sacrifice, aucune perte; ni ton silence, ni mon amertume, ni le temps, ni ta mort, ni l'approche de la mienne ne sont parvenus à en atténuer l'immuable et immortelle ardeur.

« Ma mère, il vous faut prendre un peu de cette décoction d'agripaume, qui est souveraine pour le cœur. »

Sans ouvrir les yeux, l'abbesse eut un geste de refus. Sœur Margue serra les lèvres. Elle avait l'habitude d'être obéie par ses malades. Quand il lui arrivait de ne pas l'être, elle usait au besoin de force pour faire avaler à la patiente son élixir ou son vulnéraire. Cette fois-ci, pourtant, elle n'osait pas insister.

La révérendissime mère n'était pas femme à se laisser imposer une médecine !

L'infirmière regretta l'absence de la mère Agnès, partie, quand la cloche des exercices avait sonné, rejoindre les sœurs à l'office de none. Elle savait que les novices, qui priaient sans reprendre haleine près de la couche de l'agonisante, ne lui seraient d'aucun secours.

La prieure, de par sa longue amitié avec elle et, surtout, parce qu'elle était la propre nièce de feu messire Abélard, était bien la seule moniale du Paraclet à posséder quelque influence sur l'esprit de fer de l'abbesse.

Il ne restait qu'à attendre. None était un office court. Mère Agnès ne tarderait pas à revenir.

Sœur Margue posa sa potion sur un coffre de chêne, près de la cheminée, tisonna le feu et y jeta une brassée de romarin séché. Elle se sentait inutile et en souffrait, à la fois dans son amour-propre d'infirmière et dans l'affection filiale qu'elle vouait à celle qui se mourait.

Avec un soupir, elle se dirigea vers la fenêtre la plus proche, l'entrouvrit, respira l'air, parfumé d'œillet et de thym, que charriait un léger vent d'est.

Dehors, il ne pleuvait plus. Sœur Margue serait volontiers allée se promener, comme elle aimait à le faire, entre les plates-bandes du jardin potager qui s'étendait sous ses yeux jusqu'aux rives de l'Arduzon, bordées d'une frange bruissante de roseaux. Elle inspecta l'horizon à peine vallonné où les bois cernaient de toutes parts les prairies du couvent, jeta un coup d'œil au moulin dont la roue de bois projetait au loin, en tournant, une poussière d'eau que le soleil irisait, et soupira derechef. Plus jamais la grande abbesse n'irait goûter les premières cerises, cueillir des roses pour la tombe de maître Abélard, ou exiger du frère lai préposé au jardinage qu'il plantât de la sauge ou bien du cerfeuil! Quel vide suivrait sa disparition! Héloïse était, réellement, le centre de toutes les activités, aussi bien matérielles que spirituelles, du Paraclet. Que deviendrait-il après sa mort?

L'infirmière referma sans bruit la fenêtre, prit son chapelet de buis et retourna vers la gisante. Debout au pied du lit, ne perdant pas du regard celle qui continuait à l'ignorer, elle se mit en devoir de prier pour elle.

Jᴇ t'ai écrit, dans une lettre : « Ce n'est pas seulement notre délire, ce sont les heures, ce sont les lieux témoins de notre délire, qui sont si profondément gravés dans mon cœur avec ton image, que je me retrouve avec toi dans les mêmes lieux, aux mêmes heures, dans le même délire. »

Il est vrai que, pendant de longues années, ces évocations du passé furent mon enfer. Avec une précision qui ne me laissait pas de repos, ma mémoire gardait le souvenir de chaque rencontre, de chaque geste, de chaque sensation. En dépit d'un travail de toutes les minutes, de prières qui étaient des cris, de confessions humiliantes et de macérations corporelles souvent renouvelées, rien ne venait à bout de ces trop vifs rappels.

Je puis évoquer, à présent, sans torture, et seulement avec une déchirante tendresse, la chambre de jeune fille que j'occupais en ma jeunesse chez mon oncle Fulbert.

Je m'y revois, assise devant ma table, des manuscrits ouverts tout autour de moi, l'oreille aux aguets. J'attendais ton retour de l'école cathédrale. J'aimais jusqu'à ton pas, fortement appuyé, toujours rapide, et je goûtais intensément la douceur de cette attente. Je savais que tu paraîtrais, debout dans l'embrasure de la porte, immobile un instant avant qu'elle ne se refermât derrière toi en nous emprisonnant dans notre paradis.

Mon oncle nous faisait confiance, sans mesure. La

28

première fois qu'il t'avait conduit à moi, le jour même de ton installation, il avait jugé préférable de demeurer un peu avec nous et d'assister au début de la leçon de philosophie que tu m'avais donnée sur-le-champ. Le sérieux de tes propos l'avait, à la fois, assoupi et convaincu de ton austérité.

C'est qu'il ne voyait pas ton regard!

Lorsque j'avais levé les yeux sur toi, après qu'il nous eut présentés l'un à l'autre, j'avais été saisie par l'intensité de ton expression. Tout en m'adressant des paroles banales, tu me dévisageais d'une manière qui trahissait la plus brûlante attention.

Pendant quelques jours, cependant, tu te satisfis sans doute de ce langage, car tu me fis travailler comme il se devait, te contentant de m'observer ainsi qu'un chasseur à l'affût. De mon côté, j'espérais, tout en l'appréhendant, le moment où tu changerais d'attitude. Une anxiété savoureuse me poignait.

Bien que nullement préparé par tes antécédents à une stratégie amoureuse aussi subtile, et faisant avec moi tes premières armes, tu te montras fort habile en me laissant patienter de la sorte. Un homme expérimenté ne se serait pas comporté autrement. Etait-ce malaise devant un premier geste, prudence à l'égard d'un retour offensif de Fulbert, ou, plus simplement, hésitais-tu à entraîner vers les abîmes de la passion la vierge que j'étais? Je l'ignore. Par la suite, j'oubliai de t'en parler. Nous étions alors occupés à des pratiques qui ne nous laissaient guère de temps pour nous interroger...

Toujours est-il que cet atermoiement, en m'amenant à douter de tes sentiments, fit tomber les derniers obstacles que la pudeur élevait encore en moi. D'abord surprise, puis vite inquiète, je crus m'être trompée et que je ne te plaisais pas. Un doute me harcelait. Pourquoi ce silence? N'éprouvais-tu aucune émotion en ma présence? Peut-être ne savais-je pas, comme il l'aurait fallu, interpréter tes regards? Peut-être avais-je l'outrecuidance de prendre pour de l'inclination ce qui n'était, de maître à élève, que communion d'esprit et goûts partagés?

Je ne savais plus que penser. Pendant ce temps, l'ambiguïté de notre situation se révélait en maints pièges et à mille tentations. Tout proches, penchés sur le même livre, nos mains s'effleuraient, nos bras se touchaient, nos souffles se mêlaient. Seules, nos voix, trop frémissantes ou trop assourdies, trahissaient parfois nos ravages intimes.

Ce délai, que tu accordais à l'assouvissement de nos convoitises, acheva de m'affoler.

Il n'est que trop certain que tu employas cette trêve à me subjuguer de la plus adroite façon. Si mon cœur avait encore pu conserver quelque repli dont tu n'étais pas le maître, tu mis tout en œuvre pour le réduire à ta merci.

N'était-il pas enivrant, pour l'ancienne élève des sœurs d'Argenteuil que j'étais, de voir le professeur omniscient que tout le monde révérait se prodiguer pour elle seule?

Peut-être avais-tu senti dès l'abord que tu me troublais? Peut-être savais-tu depuis le premier jour que tu n'avais qu'un geste à faire? Je le croirais volontiers. Mais il était dans ta nature possessive de désirer également asservir ma pensée à la tienne de façon que je t'appartinsse par l'esprit comme par les sentiments.

Ayant la vocation de l'absolu, tu ne pouvais te contenter, ô Pierre! de m'avoir séduite, il te fallait encore fondre nos deux intelligences, forger la mienne au feu de la tienne... Ton pouvoir était immense, tu en connaissais l'étendue. Ce fut un jeu pour toi de me former à tes méthodes, auxquelles j'étais, d'ailleurs, admirablement préparée. L'empreinte de tes concepts marqua à jamais mon jugement. Je n'ai rien fait, tu le sais, pour m'y opposer. Je m'offris à ton enseignement comme la terre s'offre à la pluie.

Très vite, je fus conquise par l'originalité, la profondeur, l'éclat de tes vues, comme je l'étais déjà par les charmes de ta personne, de tes yeux, de ta voix. Tu m'éblouissais! Il n'y avait pas un atome de ton être qui ne fût pour moi perfection.

Je me souviens qu'après ton départ je demeurais longtemps à ma place, comme envoûtée.

La nuit était déjà avancée, puisque mon oncle, dans sa folie, t'avait laissé libre de m'instruire à n'importe quel moment de la journée. Bien entendu, le soir te convenait plus que tout autre instant, et tu préférais les heures nocturnes qui nous isolaient si bien après le couvre-feu.

Fulbert, les servantes, tout reposait dans la maison. Eclairée par deux chandelles parfumées à l'ambre gris, ma chambre, abri de chaleur et de lumière, rayonnait seule dans l'obscurité. Du cloître Notre-Dame, endormi entre le fleuve et l'église cathédrale, aucun bruit ne montait. Il fallait ouvrir ma fenêtre pour percevoir faiblement le clapotis de l'eau contre les rives de notre île. La ville, bercée entre les bras de la Seine, plongeait tout entière dans l'ombre et le silence.

Pour mes nerfs, tendus jusqu'à l'angoisse, il y avait comme un surplus d'excitation dans ces ténèbres que je sentais complices. Tout me poussait à t'aimer : n'y avait-il pas jusqu'à l'isolement de la nuit dans mon enclos qui ne m'y invitât? J'ai toujours cru, et je le crois encore, que la Providence m'avait, depuis les origines, désignée pour être tienne. Un tel concours de circonstances ne trompe pas.

Tu m'avais donc conquise aussi complètement qu'il est possible; il ne me restait plus qu'à t'appartenir.

Tu me devinais consentante, tu n'en pouvais plus d'attendre : un accord tacite nous amena à conclure. Le soir où tu m'attiras sur ta poitrine, je ne t'opposai pas la moindre résistance et tu fis de moi ce que tu voulus.

Te souviens-tu? Je portais un bliaud de cendal écarlate et tes doigts rompirent ma ceinture d'argent.

Nous venions de traduire une page de Sénèque. Dans la chaleur de l'explication, tu avais posé ta main sur la mienne. Elle y était restée. J'avais alors vu sur tes traits l'animation intellectuelle se muer en un tout autre émoi. Je guettais cette seconde, je l'appelais pendant mes insomnies; pourtant, je la redoutais. Quand je sentis ton souffle sur ma bouche, une confusion, une panique enfantine me fit trembler de la tête aux pieds.

Tu compris mon effarouchement. Tu sus l'apaiser. Pour respecter ce sursaut d'innocence, tu t'astreignis à retenir ton propre élan, à prendre le temps de m'apprivoiser. Je t'ai conservé une gratitude immense pour cette délicatesse dont peu d'hommes, semble-t-il, sont capables.

Après mon cœur, après mon esprit, c'était au tour de mon corps d'être révélé à lui-même, étape par étape, jusqu'à son plein épanouissement.

Pendant des lustres, la nostalgie de tes caresses a hanté mes rêves et mes veilles. Tu le sais. Je m'en suis plainte à toi. Ce fut, à n'en pas douter, le juste châtiment des trop douces amours que nous connûmes, Pierre, dans l'ivresse de nos découvertes et le mépris de notre trahison. Car nous trompions la confiance de mon oncle sans le moindre remords, et sous son propre toit.

Pourtant, je ne parviens pas encore à éprouver de honte en évoquant nos transports. Puisque Dieu nous a frappés par la suite, nous avons, et à quel prix! acquis le droit d'en garder mémoire. Nous avons payé, mon bien-aimé. Au cours d'épreuves sans pitié, avec ton sang, avec mes larmes, nous nous sommes lavés de nos péchés.

Je les ai expiés, mais je ne les ai jamais reniés. Je soutiendrai toujours que dans le don que je t'ai fait de moi il y avait quelque chose de pur, parce que d'absolu. C'est par la suite que j'ai attiré sur nos têtes la foudre divine. Pas à ce moment-là.

Te rappelles-tu nos voluptés et dans quelle extase je les vivais? Non, non, nous n'étions pas ravalés au rang des bêtes, mais élevés à des joies qui dépassaient notre condition. Plus tard, tu t'es accusé de concupiscence. Je rejette cette accusation. La tendresse, la sollicitude, avec lesquelles tu m'as initiée, le respect que tu n'as jamais cessé de me témoigner aux instants les plus fous de notre frénésie, témoignent en faveur de notre passion.

L'horreur que tu as manifestée ultérieurement envers ce qui te remémorait ces mois de bonheur, m'a toujours déchirée. Pourquoi les as-tu stigmatisés? Ils étaient l'expression de ce qu'il y avait de meilleur, de plus rayonnant, de plus fervent en nous.

Quand je songe à cette période, je vois des jours de soie tissant une existence de félicité. Laisse-moi, une dernière fois, en dévider le cours.

Dès que tu avais franchi le seuil de ma chambre, le temps basculait. Je ne percevais même plus les bruits familiers de la maison. Sourde, aveugle et insensible à tout ce qui nous était étranger, j'évoluais dans un univers où, seuls, toi et moi avions une réalité.

Je me souviens du goût de fleur qu'avaient tes lèvres en été, car tu mâchais du jasmin pour aromatiser ton haleine. En hiver, tu portais un manteau de laine épaisse, fourré de pelages de loups. L'odeur sauvage, qui s'en dégageait encore, demeurait longtemps sur ta peau. J'aimais flairer contre toi ces effluves de bête fauve qui ajoutaient un relent insolite à la senteur de vétiver dont tu avais l'habitude de te faire oindre au sortir des étuves.

Pour la créature instinctive et sensuelle que je ne puis entièrement dissimuler sous mon masque d'intellectualité, les parfums ont toujours eu une extrême importance par leur pouvoir d'évocation. J'ai conservé en secret dans ma cellule, pendant des années, le poignet brodé d'une de tes chemises. Ce ne fut que lorsqu'il eut perdu la dernière trace, l'ultime exhalaison, qui me rappelait ta présence, que je pus m'en séparer...

Au premier temps de notre amour, nous tenions, afin de sauver les apparences, à rester un moment assis devant ma table en faisant semblant de travailler. Nous consultions les livres d'un œil inattentif, nous abordions, sans nous y attarder, un sujet de philosophie inexploré, mais nous étions bien trop distraits par nous-mêmes pour consacrer beaucoup de temps à autre chose qu'à notre mutuel désir.

Tes mains, attirées vers moi comme papillon par la flamme, se posaient sur mon bras, remontaient vers ma gorge, se perdaient dans la toile et libéraient insidieusement en moi, dans une progression savante, des instincts inconnus qui déchaînaient mes sens. Tu savais être le plus doux des initiateurs, mais aussi le plus avide des amants. Certains de mes bliauds étaient si malmenés par ta fougue qu'il m'arrivait, pour qu'on ne s'aperçût de rien, d'en raccommoder les déchirures fort avant dans la nuit, quand tu m'avais quittée. Ces preuves de ta passion ne faisaient que renforcer la mienne. C'était une créature éperdue que tu portais ensuite sur mon lit, dans le désordre des coussins, des couvertures fourrées et des draps ouverts.

La sage enfant qui avait dormi sur cette même couche, quelques mois plus tôt, rêvant de quelque jongleur aperçu sur une place ou de l'achat d'un fermail d'or, s'en était allée sans esprit de retour. A sa place, une femme ivre de son corps se roulait dans tes bras, mordant et gémissant, embrasée par un accord charnel qui se permettait tous les raffinements, toutes les découvertes. Tu faisais preuve, dans nos étreintes, du même génie d'improvisation qui t'avait rendu célèbre dans un tout autre enseignement. En ces joutes, aussi neuves pour toi que pour moi, tu n'apportais aucune gaucherie, mais, au contraire, une habileté si incendiaire qu'il m'arrivait de penser que j'allais perdre l'esprit dans les transes de nos embrassements.

Au plus fort de notre tempête, je revois sur ton front une veine qui se gonflait comme une corde, à la racine de tes cheveux. Il m'arrivait aussi, quand je reprenais conscience, de t'entendre rire, d'un rire bas, un peu rauque, qui me bouleversait. Tu parlais peu, sais-tu? à ces moments-là. Sans doute, par crainte d'être entendu au-delà de nos murs, ou parce que, maître en l'art de la parole, tu en connaissais le vain bruit. A moins que ce silence n'ait été une marque de respect, une forme de dégustation plus avertie et plus voluptueuse.

Rien, pas même le fumet d'inquiétude qui pimentait nos amours, ne manquait à notre bonheur. Pour mieux dérouter les possibles soupçons de mon oncle, tu es allé jusqu'à me frapper, ainsi qu'il t'avait recommandé de le faire, et ce, de façon à être entendu. Il est bien certain que personne, à ce moment-là, ne prenait la peine de nous épier, mais nous ne détestions pas certaines manifestations de violence. Ces coups, donnés par l'amour et non par la colère, excitaient nos convoitises et nous paraissaient, comme tu l'as avoué plus tard, plus doux que tous les baumes. Si dévorante était notre faim de possession charnelle que nous éprouvions, lorsque tu me battais, une jouissance encore accrue.

Nous avons tout essayé, tout expérimenté, tout connu, sauf la satiété. Tu fus l'Homme, pour moi. Pour toi, j'ai tenté d'être la Femme!

Elles furent brèves, Pierre, nos amours, mais d'une intensité, d'une plénitude telles, qu'elles m'ont instruite et comblée à jamais! En quelques mois, tu m'as révélé chaque degré du plaisir, chaque sommet de la joie. Les demi-mesures n'étant le fait ni de ta nature ni de la mienne, nous nous sommes donnés l'un à l'autre aussi totalement qu'il était humainement possible de le faire. Et notre soif jamais étanchée était si vive que ni la lassitude, ni l'accoutumance, ni l'ennui n'ont eu de prise sur elle.

Alors même que nous étions assouvis et rompus, nous connaissions de délectables intermèdes. Je me souviendrai toujours des chansons que tu composais en mon honneur et qu'à mon oreille, dans la tiédeur du lit, pour moi seule, tu chantais. Apaisés, encore mêlés l'un à l'autre, nous savourions la douceur de ces accalmies qui nous aidaient à reprendre des forces. Ta voix, qui m'a toujours asservie à ses charmes, gardait jusque dans ses murmures des sonorités si chaudes, des accents si pleins de tendresse qu'il m'arrivait de pleurer d'aise contre ta poitrine.

La suavité de tes mélodies, la grâce de tes vers ont survécu aux événements qui les ont inspirés. Je sais qu'on les a longtemps chantés à travers tout le pays, et je pense, tant tu y as mis d'émotion sincère, que certains, aux heures d'amour, les redisent à leur amie. Ces paroles, que des lèvres inconnues répètent peut-être souvent, demeurent les échos perdus de notre jeunesse, Pierre. Ils plaident en notre faveur. Ton nom et le mien, jetés au vent, ainsi que des semences, en quelle terre retomberont-ils pour germer et croître, confondus l'un avec l'autre, pour l'éternité? Que le temps me dure d'être réunie à toi de cette façon-là!

Ai-je vraiment le droit de demander encore? N'ai-je pas eu, ici-bas, et dès l'aurore de ma vie, plus que n'importe quelle autre femme?

Nous respirions la béatitude. Rappelle-toi : notre intimité s'étendait à chacun de nos sentiments et nous étions aussi proches qu'il est possible de l'être. J'employais certains de tes mots pour m'exprimer, et tu m'empruntais des gestes ou des expressions. Tout nous était commun...

Cependant, tu me quittais chaque jour avec plus de peine. Nous ressentions un tel besoin l'un de l'autre, nous étions devenus si oublieux du monde extérieur que chacun de tes départs pour l'école cathédrale était un déchirement. Tu t'ennuyais de moi au milieu de tes étudiants. Il t'arrivait de plus en plus souvent, durant tes cours, de m'écrire des lettres folles, de versifier sur quelque particularité de ma personne ou de mon caractère.

Quand tu m'avouais combien tes leçons te laissaient à présent indifférent, quand tu évoquais la tiédeur avec laquelle tu les faisais, quand tu parlais de l'obsession où tu étais de moi, je m'en réjouissais.

Plutôt que de puiser dans tes récits une confiance sans mesure en la pérennité de notre passion, j'aurais été plus avisée de m'inquiéter de ce désintérêt qui nous trahissait de si voyante façon.

Ni toi ni moi n'avions envisagé les conséquences de cette désaffection, de ce reniement de tout ce qui avait été ton œuvre jusque-là. Avec une légèreté qu'excusait seul notre enivrement, nous nous riions des rumeurs qui commençaient à circuler sur notre compte. Beaucoup de femmes, dépitées de ce que tu ne les aies pas remarquées, et d'étudiants déçus, parlaient maintenant de nous sans bienveillance. J'en avais été informée par Sibyle. Dans le petit monde des écoles où nous vivions, on jasait plus qu'il ne l'eût fallu. Le fait que tu te sois brusquement décidé à venir loger sous notre toit avait déjà alerté l'opinion. Les leçons si particulières que tu me prodiguais durant des heures nocturnes renforcèrent les commérages. Nos servantes y apportèrent, sans nul doute, bien des précisions. Tes chansons amoureuses, toutes bruissantes de mon nom, achevèrent de convaincre ceux qui nous faisaient encore crédit. Enfin, la négligence que tu manifestas envers tes cours, et la façon hâtive dont tu les expédiais, afin de revenir plus vite près de moi, ouvrirent les yeux des plus acharnés de nos défenseurs.

Par ailleurs, nos ardeurs sapaient ton énergie. La fatigue embrumait tes pensées. Tes discours prenaient un aspect terne et fade qui désespérait ceux qui, jadis, t'admiraient pour ta vigueur et ton originalité. Comme tu n'avais plus le temps ni l'envie de préparer des conférences inédites, tu te contentais de répéter celles que tu avais déjà faites, sans les orner d'aucun commentaire nouveau.

Ce fut une désolation. Du chœur de tes disciples consternés montaient de sévères et douloureux reproches. On t'abordait dans la rue, pour te demander de reprendre tes explications brillantes d'autrefois. On s'inquiétait avec hypocrisie du mal qui te rongeait sans doute en secret. Tes élèves osaient discuter tes opinions, tes collègues te tenaient à l'écart de leurs délibérations.

Autour du couple extasié que nous formions, le filet des bavardages, dangereusement, se refermait.

Nous n'en avions cure!

Le jour où un de tes amis t'aborda en ces termes : « Par le Ciel, saurais-tu me dire ce qu'est devenu le grand Abélard et son inspiration? », tu lui ris au visage et tu rentras à la maison me conter l'anecdote que tu jugeais plaisante. Comme des innocents que nous n'étions plus, nous nous en sommes amusés, au lieu d'en trembler comme nous l'aurions dû. C'était le premier grondement annonçant l'orage.

En effet, pendant que notre quartier, la ville, la province, le pays même chantaient nos amours ou les condamnaient, un homme, dont nous dépendions tous deux, continuait à ne rien savoir. Son ignorance assurait notre salut. Nous aurions dû y songer et agir en conséquence. Nous n'y avons jamais pensé. L'amour nous avait fascinés.

Un jour, pourtant, le Ciel m'envoya un sérieux avertissement. Tu étais absent, retenu à un festin de chanoines, et nous avions convié à notre table, pour souper, une cousine de Fulbert, Biétrix Tifauge. Tu l'as à peine connue. C'était une petite femme noiraude, âgée d'une cinquantaine d'années, d'une minceur confinant à la sécheresse. Elle tirait vanité de l'étroitesse de sa taille, sans se douter que sa maigreur faisait clabauder la famille. Veuve d'un négociant en vins qui lui avait laissé du bien, elle vivait à son aise dans une maison qu'elle avait fait construire, de façon curieuse, hors de l'île, de l'autre côté de l'eau, non loin du grand Châtelet. Elle prétendait que la ville s'étendrait le long de la chaussée Saint-Antoine, et je crois que les événements sont en train de lui donner raison.

N'ayant pas le triomphe modeste, elle aimait d'ailleurs beaucoup avoir raison.

Je me souviens que, pendant le repas, elle m'avait plusieurs fois fixée de son œil de poule, non sans une curiosité où luisait une étincelle de malveillance. Sachant que l'indulgence n'était pas sa qualité dominante, totalement indifférente à son opinion, je n'y avais pas pris garde. Soudain, un peu trop haut perchée, sa voix s'éleva. Nous en étions au blanc-manger. Mon oncle venait de tirer avec gourmandise, du coffre aux épices dont il gardait toujours la clef sur lui, une once de sel indien et une once de cannelle, qu'il mélangeait soigneusement à la chair broyée du chapon et aux amandes pilées de son plat favori.

« Ainsi donc, mon cousin, vos aspirations se bornent à vivre céans, le mieux possible et le plus agréablement? »

Sans détacher son attention de la vaste écuelle d'étain qu'il tenait par une anse, Fulbert leva une épaule en signe d'évidence.

« Bien vivre n'est pas défendu, que je sache, dit-il après avoir goûté le mélange avec une grimace approbatrice. Le péché ne commence qu'à la gourmandise ou à la goinfrerie. »

Il fit signe à la servante de verser dans les hanaps, sans plus attendre, un vin herbé de sa composition, où dominaient le gingembre, la noix muscade et le miel.

« Il y a tant de façons de comprendre la goinfrerie », assura dame Tifauge avec un sourire acide.

Mon oncle redressa son buste aussi trapu qu'une tour du château Vauvert.

« Qu'entendez-vous par là, ma mie? »

On le savait fort susceptible et chatouilleux pour tout ce qui touchait, de près ou de loin, à l'honneur familial. Devant son sourcil froncé, Biétrix fit la moue.

« Tout doux, mon bel ami, dit-elle en élevant une main blanchie par l'emploi quotidien d'une pâte au lait d'ânesse dont elle m'avait communiqué la formule, tout doux! Il ne s'agit nullement de ces friandises innocentes que j'apprécie autant, sinon plus que vous. Nenni! Je songeais à d'autres appétits... »

Ce disant, son regard glissa vers moi qui ne parlais guère.

« Qu'en dites-vous, Héloïse? »

Je la considérai tranquillement.

« Rien, ma cousine. »

Elle plissa les paupières, qu'elle avait bombées et flétries comme celles de certaines volailles.

« Vous n'êtes guère éloquente, ma belle, pour une jeune personne qui prend tant de leçons, et avec un maître si réputé. »

Je la considérai non sans curiosité. La méchanceté, quand elle est gratuite et dénuée à ce point de complication, recèle un ferment qui m'intéresse.

« Si vous souhaitez que je vous expose la dernière théorie dont on dispute sur les Universaux...

– Il n'est pas besoin de philosophie pour mener certains entretiens, reprit-elle avec entêtement. On va disant que vous vous entendez à merveille avec messire Abélard...

– Fort bien, en effet, confirmai-je sans me départir de mon calme. Il est des plus savants. »

Mon aplomb lui déplut. Ses yeux se rétrécirent encore.

« En ville, on parle beaucoup de vos goûts communs, insinua-t-elle en dégustant son vin herbé. Comme nous sommes parentes, je me crois même autorisée à vous rapporter quelques propos peu obligeants qui courent... »

Mon oncle laissa retomber avec tant de force ses paumes sur la nappe que les noix, noisettes et raisins secs empilés sur un plat au centre de la table s'écroulèrent et roulèrent sur le sol.

« Qu'on ne me casse plus les oreilles avec ces stupides calomnies! ordonna-t-il d'une voix tonnante. On m'en a déjà touché deux mots. J'entends que ce soient les derniers. Maître Abélard et Héloïse sont au-dessus de tout soupçon. La chasteté de l'un, la pureté de l'autre demeurent inattaquables. J'espère m'être bien fait comprendre, Biétrix? »

Dame Tifauge pinça les lèvres, hésita une seconde, et se décida enfin à prendre de la pâte de coings en parlant d'autre chose.

Pour moi, je contemplais mon oncle et je réfléchissais. Cette fureur, tout entière occupée à prendre notre défense, décelait tant de candeur, de parti pris et d'aveuglement, en même temps qu'une confiance si absolue, qu'elle deviendrait plus redoutable qu'une autre le jour où elle se retournerait contre nous.

Je savais combien Fulbert, homme faible, dissimulé dans l'enveloppe d'un Hercule, tenait à l'apparence énergique qui lui était échue. A la moindre défaillance de son personnage, il lui faudrait renoncer au prestige dont il jouissait dans son entourage. Une telle perspective ne pouvait pas être supportable à sa vanité. Cette forme avilie de l'orgueil, je l'ai compris depuis, restait la dominante du caractère de mon oncle. Pour sa gloire, par amour-propre, il tenait plus qu'à tout à sa réputation d'homme de caractère. Il a démontré atrocement, par la suite, à quelle extrémité il pouvait se porter quand il se jugeait ridiculisé. Hélas! il était de ces êtres qui ne peuvent accepter l'idée de s'être trompés!

S'il venait, un jour, à apprendre la vérité sur nos relations, s'il se découvrait bafoué, il en souffrirait doublement : dans sa fierté intime, d'abord, et dans ses prétentions familiales, ensuite. Pour sauver la face, il lui faudrait alors se montrer aussi implacable qu'il avait été indulgent jusque-là. La tendresse qu'il me vouait à sa façon ne me serait, en de telles circonstances, d'aucun secours. Elle ne le rendrait que plus sensible à l'outrage. Chacun sait qu'une affection déçue décuple l'étendue du ressentiment et incite à la rancune.

Je ne l'ignorais pas. Tout en le regardant écraser des noix entre ses poings de bûcheron, j'évoquais ses colères. Cependant, je n'éprouvais nulle crainte. La certitude où je vivais me rendait invulnérable. Une seule créature au monde détenait le pouvoir de me faire souffrir : toi! Des autres, je ne redoutais rien.

J'achevai tranquillement mon souper, me lavai les mains dans le bassin d'argent à l'eau parfumée que me tendait une servante et essuyai mes doigts qui ne tremblaient pas à une serviette de lin. Comme on était en hiver, une bonne flambée de fournilles chauffait l'âtre. Je m'installai sous le manteau de la cheminée, près du chat, frileux comme moi, qui ronronnait d'aise à mes pieds. La soirée se termina dans la paix. Mon oncle et sa cousine jouaient aux échecs. Je filais au rouet.

Quand tu rentras, tardivement, tu vins me rejoindre dans ma chambre. Blottie dans mon lit sous mes couvertures doublées de peaux d'agneau, je ne songeais plus à l'incident du souper. Ce ne fut que beaucoup plus tard, alors que nous flottions, apaisés, aux bras l'un de l'autre, que j'y pensai de nouveau. Tu me parlais du repas que tu venais de présider et dépeignais les reproches qu'il t'avait fallu essuyer :

« Je ne suis plus libre de moi-même, constatais-tu avec rancœur. Ma réputation devient un carcan! Que je puisse souhaiter vivre en dehors des livres et de l'Ecole semble à mes amis incompréhensible et attentatoire! Ils ont osé, devant moi, faire allusion à notre liaison. Bien entendu, ils s'exprimaient en termes voilés, mais il s'en est fallu de peu que notre réunion ne tournât en querelle. N'est-ce pas odieux? »

Je convins que la violation de notre vie intime par les méchants propos qui couraient la ville était chose déplaisante, mais que faire? Je ne parvenais pas à prendre cette menace au tragique. Rien, en fait, ne pouvait ternir ma joie ni briser mon enchantement. Tu sais que notre amour fut toujours pour moi un bien suprême, dont l'importance réduisait à néant toute autre considération. L'appréhension, pas plus que le remords, n'avait de prise sur lui. L'univers, qui s'étendait au-delà de tes bras, ne m'intéressait plus et ne m'impressionnait pas.

Ton récit, le souvenir des phrases sans indulgence de

Biétrix, et les avertissements réitérés de Sibyle qui se rongeait d'inquiétude pour moi bourdonnaient autour de mon bonheur comme autant de mouches importunes, mais il suffisait d'un geste de toi pour que je n'y pense plus. Ce n'était pourtant pas inconscience : je mesurais l'importance du danger. C'était détachement et indifférence.

Je ne m'alarmais donc pas des menaces qui se précisaient, et toi, de ton côté, tu choisis de les mépriser.

Nos plus beaux jours, nos plus doux mois, passèrent ainsi.

Mais les êtres les plus aveuglés finissent par retrouver la vue, et ce qui est de notoriété publique ne peut demeurer éternellement caché.

Ce fut de la plus sotte façon que mon oncle fut mis au fait de notre secret. Sibyle était tombée malade. Un accès de fièvre tierce, dont l'inquiétude pouvait fort bien être cause, la tenait au lit. Je dus, pendant quelque temps, me contenter des services d'une des chambrières, aussi fourbe que stupide. Tu ne dois même pas l'avoir remarquée. Elle boitait assez bas et opposait aux événements une face butée qui semblait toujours ruminer quelques bribes de pensées obscures. En dépit du temps écoulé et de l'inutilité de la chose, je ne puis me souvenir de cette fille sans un reste de ressentiment. Pauvre créature... A elle, comme à tous ceux qui m'ont blessée, il me faut, à présent, pardonner du fond du cœur. Je le dois. Mais, crois-moi, ce n'est pas facile...

Elle découvrit donc dans ma chambre une de tes lettres que j'avais omis de dissimuler, et alla, tout benoîtement, la porter à mon oncle. Les termes en étaient clairs. On ne pouvait s'y tromper.

Fulbert sut enfin à quoi s'en tenir sur nos relations. Ainsi que je l'avais imaginé, son courroux fut à la mesure de ce qu'avait été, auparavant, sa confiance.

Ta missive à la main, il surgit dans la salle où j'étais occupée à tailler un pelisson de velours que je me destinais. A sa pâleur, au mouvement nerveux de ses paupières, à la violence de son irruption, j'avais compris ce qui se passait, avant même qu'il eût prononcé un mot.

J'étais presque encore une enfant. Ce fut pourtant à cette minute-là que je découvris, pour la première fois, le sang-froid dont j'étais capable quand il s'agissait de notre cause. Si j'avais, en effet, tenu à ignorer jusqu'à ce moment ultime le danger auquel nous nous exposions, ce n'était pas faute d'y avoir furtivement songé. Chaque fois que ma pensée s'y était arrêtée, je m'étais demandé de quelle façon je réagirais face au scandale. Je l'ignorais et n'en présumais rien.

Tout soudain, et non plus en imagination, je me trouvais devant l'homme furieux que nous avions bravé. Un calme de grand fond se fit alors en moi. Je sentis, presque physiquement, la fermeté de mon âme et l'intrépidité de mon amour. Je laissais fulminer le vieillard sans défaillir devant lui. Il m'accabla de reproches et ne manqua pas de me jeter notre déshonneur à la face. Pendant qu'il parlait, je me disais, à l'abri de mes cils baissés, qu'être ta maîtresse était pour moi un fort grand honneur et que le pauvre homme, qui vomissait ainsi ses injures, n'y comprenait rien.

« Vous avez forniqué sous mon propre toit! hurlait Fulbert. Entre ces murs paisibles où la honte n'aurait jamais dû avoir asile! »

Ne me sentant pas coupable, je le plaignais, mais ne me repentais pas.

C'est à ce moment-là que tu entras. Alerté, alors que tu revenais d'un de tes cours, par les vociférations qui jaillissaient de la salle où nous nous tenions. Tournant contre toi son emportement, mon oncle te reprocha sans désemparer ta trahison, ta fourberie, ta malhonnêteté. Des mots implacables sortirent de sa bouche. Il te traita de voleur, de suborneur, et cria qu'il te méprisait :

44

« Aussi haut étiez-vous, avant, dans mon estime, aussi bas êtes-vous, maintenant, tombé! »

Je t'observais avec angoisse et constatais, non sans douleur, la confusion où tu te trouvais. Tu acceptais les reproches de Fulbert comme fondés. Ta conscience, moins éprise d'absolu que la mienne, se jugeait fautive et ne s'absolvait pas.

Tu n'eus pas une parole pour nous justifier. Comme foudroyé, pâle autant que ton accusateur, tu l'écoutais sans un geste, sans tenter de défendre notre passion mutuelle.

Je découvris alors ce que pouvait être la torture de voir souffrir dans sa dignité l'être qu'on aime le plus au monde. Je te sentais rempli de honte et ne pouvais supporter pour toi cet abaissement. J'aurais donné ma vie pour que cette épreuve te fût épargnée, à toi, l'homme illustre que chacun respectait et révérait comme un modèle. Fallait-il que ce soit à cause de moi, à cause de notre amour, que tu en arrives là?

Un désespoir sans bornes me submergea à cette pensée. Je n'avais jamais souhaité, désiré, espéré que ton bien. Voici que j'attirais sur ta tête un tel opprobre!

Je voulus parler, nous disculper, expliquer à mon oncle que la fatalité, uniquement, était en cause. Que, seule, l'intention importait, que nous n'avions jamais voulu son malheur, mais que le sentiment qui nous unissait était plus impérieux que nos volontés. Il ne me laissa pas ouvrir la bouche et m'ordonna brutalement de me taire.

Ensuite, il te pria de quitter au plus vite sa demeure, de ne jamais y remettre les pieds. Par un reste d'égard envers ta réputation, il consentit à ne pas ébruiter l'affaire si tu partais sur-le-champ, sans esprit de retour.

Que pouvions-nous faire? Nous nous étions ri de lui dont nous dépendions. Ses sentences devenaient pour nous des arrêts.

Je puis dire que ce fut à cet instant-là que je

commençai à souffrir. Pour la première fois, je me sentis écrasée sous la douleur. Déchirée en moi-même. Mon paradis s'écroulait. Je n'ai jamais si bien compris le désespoir d'Eve, après la chute.

De ma chambre, où Fulbert m'avait enfermée, je suivis le bruit des préparatifs qu'il te fallut aussitôt faire pour rassembler, avec l'aide de ton valet, ce qui t'appartenait. J'étais anéantie. Ecroulée sur mon lit, je pleurai jusqu'à épuisement.

Par mon fait, tu t'en allais, chassé, avili. Cette constatation ne me laissait pas de repos. Tout en sanglotant, j'entendais les allées et venues de ton domestique qui transportait au-dehors les coffres remplis de parchemins et de livres que tu avais apportés avec toi. Puis ce fut le tour de tes objets personnels, de tes vêtements.

Cet affairement me suppliciait. J'évoquais l'ivresse de ton arrivée pour la comparer à l'horreur de ce départ. Je ne savais que trop avec quelle acuité tu devais en ressentir la différence! Ton humiliation et mon impuissance me révoltaient. De tout mon amour, j'aurais voulu être près de toi, panser tes blessures, alléger ton fardeau.

Hélas! Cette consolation m'était refusée! Tu te trouvais seul dans ta détresse, seul à être exilé!

Car tu quittais notre maison à jamais. Comme un glas, cette évidence me harcelait : « Il s'en va pour toujours, pour toujours... » Finie notre intimité, finies nos nuits extasiées, finie cette vie radieuse qui nous comblait tous deux.

Loin l'un de l'autre, comment existerions-nous? Tous les jours, tous les soirs à venir nous verraient donc séparés? Une stupeur mêlée d'épouvante me serrait la gorge à cette évocation.

Cependant, je suis ainsi faite que devant un obstacle, je cherche aussitôt le moyen de passer outre. Ne pouvant accepter l'idée de notre éloignement, je me mis en quête d'un subterfuge. La volonté de te rejoindre par n'importe quel artifice, à quelque prix que ce fût, s'imposait à moi jusqu'à l'obsession. Il me fallait découvrir la meilleure façon de procéder pour te retrouver, malgré les interdits dont on nous accablait.

Courant à ma table, je t'écrivis dans la fièvre un mot de lettre et me précipitai à la croisée. En effet, si mon oncle avait fermé ma porte à clef, il avait négligé de clore également ma fenêtre. M'y penchant, je te vis, dans le jardin, qui surveillais d'une mine sombre le transfert de tes bagages.

Tu portais un long manteau de drap olive, attaché sur l'épaule par un fermail d'argent que je t'avais offert. Tel je te vis en cet instant, debout sous un cerisier dont les fruits commençaient de rougir, tel je te vois encore en mon cœur : d'une mâle beauté, rehaussée du prestige de la douleur dont tu portais l'empreinte sur ton visage. Dans un élan de tout mon être vers toi, je me dis que je t'appartenais. Quoi qu'il pût advenir par la suite, je sus alors que je demeurerais tienne jusqu'à mon dernier souffle.

J'ai tenu parole.

Si puissante était mon adoration que tu la sentis sur toi, à travers l'espace qui nous séparait. Levant la tête, tu me vis et me fis signe. Après avoir porté mon billet à mes lèvres, je te le jetai vivement.

Une ère nouvelle commençait pour nous.

Sa confiance s'étant dissipée avec ses illusions, mon oncle se mit à me surveiller étroitement. J'assistai, chez cet homme gouverné par l'amour-propre, à une transformation qui ne laissa pas, malgré les raisons que j'avais d'être abattue, de m'intéresser. Passant d'un excès à un autre, il me soupçonnait à tout propos et n'ajoutait plus foi à aucun de mes dires. Nous respirions un air empesté par le doute. Je ne pouvais plus faire un geste sans être suspectée et je me vis prisonnière du plus rancuneux des geôliers.

Mes leçons particulières furent assumées par un vieux chanoine au chef parcheminé qui bavait en pérorant et aurait dégoûté la plus effrontée des filles follieuses. Je n'eus plus le droit de sortir en compagnie de Sibyle, mais avec la servante qui m'avait trahie, et la durée de nos promenades était fixée à l'avance par mon tuteur.

Une lanterne à la main, Fulbert effectuait chaque nuit une ronde à travers la maison endormie. Je crois bien qu'il devait se lever et venir écouter à ma porte, toutes les fois qu'un craquement un peu soudain partait de mon bois de lit!

Ton nom fut, systématiquement, banni de toutes nos conversations. Il fallait faire semblant de t'ignorer. La plus lointaine allusion à ton enseignement ou à tes théories déchaînait les foudres du maître de notre logis.

Naturellement, cet ostracisme ne fit qu'aiguiser l'envie que j'avais de te revoir. Plus on me tenait en lisière, plus je sentais grandir en moi le besoin de ta présence.

Pendant quelque temps, ma douleur fut telle qu'elle mit un frein à mon désir; mais, les jours passant, les élans de mon cœur se doublèrent de ceux de ma chair qu'un feu intime consumait. Contre la privation des apaisements auxquels il était habitué, mon corps veuf de toi se révoltait. Mes rêves étaient remplis de ton attente. Vois-tu, j'avais trop bien été éveillée à la volupté pour consentir sans rébellion à vivre chastement.

La violence de ma passion devait fatalement venir à bout des obstacles élevés sur le chemin qui me menait vers toi. Aussi, la nécessité me rendit-elle audacieuse. Grâce à la complicité de Sibyle et à celle de ton valet, cet Ancenis, qui t'est resté si longtemps attaché, nous réalisâmes alors le plan que je t'avais exposé dans ma lettre. Il était des plus simples et le goût que mon oncle éprouvait pour les épices me vint en aide. Sibyle mêla, en effet, au gingembre dont il avait accoutumé de se servir chaque soir dans son vin cuit, une certaine poudre de pavot fournie par un mire de ses amis. Le résultat ne se fit pas attendre : il fallut porter le vieillard dans son lit.

Ce fut donc un jeu pour moi, après le couvre-feu, et une fois tout le monde assoupi, de descendre t'ouvrir la petite porte du jardin.

Il ne pouvait être question de te conduire à ma chambre, trop espionnée maintenant par les servantes. Comme il faisait doux, en cette fin de printemps, je te menai dans le grenier. J'y avais hâtivement assemblé dans l'après-dîner des ballots de laine à filer que j'avais recouverts, je m'en souviens encore, de quelques peaux de mouton qu'on tenait en réserve. Je retrouve, en y songeant, leur odeur de suint et la rugosité des toisons sous mes doigts.

Après des semaines de privation, nos retrouvailles ne furent que plus ardentes. Nous nous sommes aimés, ce soir-là, avec emportement, avec délire. Jamais, peut-être, notre jouissance n'avait été si aiguë. L'angoisse, le sentiment de notre culpabilité, et l'évidence du péché que nous commettions, renforçaient de leur piment chacune de nos sensations.

Ce fut une femme brisée, mais comblée, que tu quittas à l'aube.

La réussite de mon stratagème m'incita à le renouveler. Nulle honte, nulle crainte du scandale qui menaçait! N'étions-nous pas bien au-delà? Notre faim, plus impérieuse que notre raison, nous menait de main ferme.

Grâce au pavot, tu revins plusieurs fois. Nous fêtâmes, t'en souviens-tu? l'anniversaire de notre rencontre par une nuit frénétique où je pensai trépasser sous l'emportement de tes caresses.

Notre grenier était devenu le lieu de toutes les délices, et mes plus intenses souvenirs restent liés à son odeur de poussière et de nuit.

Nous n'avions pas osé allumer de chandelle. Seules les étoiles, clignotant à travers une fente que nous avions pratiquée dans le toit en déplaçant quelques ardoises, éclairaient nos ébats. Une coulée de lune se glissait parfois jusqu'à notre couche et baignait de sa lumière pâle nos corps nus. Le rayon bleu faisait luire d'un éclat de perle l'émail de tes dents ainsi que tes prunelles. Tu vois, je n'ai rien oublié. Même pas la nuit d'orage où tu me possédas sous la pluie, au rythme du tonnerre...

Seigneur! Nous étions ivres l'un de l'autre. Seigneur! Il faut que Vous nous ayez pardonné ces excès idolâtres, manifestations de notre amour. Il le faut, Seigneur! Vous n'avez pas permis qu'ils se prolongent, Vous nous les avez fait expier, mais, puisque Vous nous les avez donnés, Seigneur, soyez-en remercié!

Dans notre grenier, les heures nous furent comptées. Nous prévoyions qu'il en serait ainsi. Sans jamais en parler, nous nous y attendions.

Aussi, quand Fulbert nous surprit, un matin, alors que l'aurore se levait, unis autant qu'on peut l'être, nous ne fûmes pas étonnés. Seulement déçus. Comme notre félicité avait été de courte durée! Qui donc avait averti mon oncle? Qui nous avait espionnés? Qui l'avait mis en garde contre sa boisson favorite, parfumée au gingembre? Qui l'avait conduit à notre retraite?

Je l'ignore toujours, n'ayant rien fait, par la suite, pour être mieux informée. Ce n'était là qu'un point de détail. Il fallait bien un entremetteur au destin.

Fulbert se dressa donc, devant nous, tel Jupiter tonnant. D'une voix grondante, il donna à deux valets qui le suivaient l'ordre de se saisir de toi et de te jeter à la rue, dans la tenue sommaire où tu te trouvais. L'exécution se fit rapidement et sans paroles inutiles. Le vieillard avait sans doute compris que les cris ne serviraient à rien. Son attitude implacable m'effraya beaucoup plus que ses imprécations précédentes. Je ne pus, cette fois, retenir mes larmes devant lui.

Il me regarda partir, ensuite, avec, au fond des yeux, un tel mépris que, pendant quelque temps, j'étouffai de honte. Non pas tant pour mon propre compte, Pierre, que pour toi dont je partageais la mortification. Je connaissais ton juste orgueil. La façon ignominieuse dont tu avais été chassé pour la seconde fois de notre demeure, les circonstances mêmes de cette expulsion ne devaient pas t'être supportables.

A mes yeux, rien ni personne n'avait le pouvoir d'entamer la suprématie de notre passion. Je la plaçais au-dessus de toutes les opinions. Il ne pouvait en être de même pour toi, qui avais à défendre un honneur tellement plus éclatant que le mien. Je comprenais ton point de vue et je ressentais, à travers toi, le cuisant de notre avanie. Dieu merci, nul ne divulgua, à ma connaissance du moins, ce qui s'était passé chez nous et tu pus continuer à enseigner comme à l'ordinaire, sans avoir à essuyer le plus léger affront.

Cependant, nous nous trouvions séparés sans aucun recours. Pour plus de sûreté, mon oncle avait décidé de me tenir tout à fait enfermée. Il allait jusqu'à faire préparer à part ses mets et ses boissons, sans cesser pour autant de me considérer, pendant les repas, d'un œil plein de suspicion. Les cours du vieux chanoine égrotant furent, eux aussi, supprimés. Un nouveau serviteur, à la mine peu avenante, fut chargé de veiller sur moi, jour et nuit. Il couchait devant ma porte et, pour ce faire, s'installait dans le couloir dès que je m'étais retirée dans ma chambre.

En de telles conditions, il ne pouvait être question de songer à te demander de revenir en cachette. Une semblable folie n'était pas concevable. L'eût-elle été, je ne disposais plus des moyens de t'en avertir. Sibyle, en effet, m'avait été retirée avec l'ordre de ne plus quitter la cuisine. Le filet des interdictions venait de se refermer sur moi.

Tout nous condamnait donc. Pourtant, je ne me laissai pas aller à la consternation. Une force plus puissante que la douleur s'affirmait en moi et je sentais, inexplicablement, que rien d'irrémédiable n'était encore accompli. Une espérance, qui n'avait point de bornes, m'habitait. Etait-ce cécité? N'était-ce pas, plutôt, les prémices d'un instinct nouveau qui s'éveillait à mon insu au plus secret de mon être?

15 MAI 1164

COMME il convenait, l'office des complies avait pris fin à la chute du jour. L'heure était venue, pour les moniales, de s'aller coucher aux dernières lueurs du crépuscule, sans l'aide d'aucune chandelle, ainsi qu'il était prescrit.

Mais la nuit qui venait n'était pas une nuit ordinaire. Ce n'était plus un secret pour personne dans l'enceinte du couvent : la mère abbesse se mourait. Afin de la secourir en cette extrémité, ses filles ne dormiraient pas et passeraient leur temps de sommeil à prier pour l'âme qui s'éloignait déjà.

Réunies dans l'oratoire initial, celui qu'avait fondé Abélard et que ses disciples avaient, ensuite, bâti de leurs mains, les bénédictines du Paraclet, à genoux, revêtues de la coule noire en signe de pénitence, faisaient oraison. Certaines étaient prosternées, le visage contre terre. D'autres suppliaient Dieu, les bras en croix. Toute la vie du couvent, par ailleurs désert, paraissait s'être concentrée autour de l'autel au pied duquel reposait de son dernier sommeil le fondateur, messire Pierre.

Non loin de là, entre les murs confinés de l'infirmerie, cinq silhouettes de femmes se pressaient autour du lit de l'agonisante. La prieure, qui connaissait les goûts de détachement et de simplicité de celle qui n'était plus qu'à demi présente parmi elles, avait tenu à ce que rien ne fût solennel, en cette ultime veille. Seules avaient été admises à venir se recueillir, en plus de sœur Margue et d'elle-même, mère Ermeline, la maîtresse des novices, qui se trouvait être la sœur jumelle d'une des premières bienfaitrices du Paraclet, dame Adélaïde. Epouse du noble Galo, femme de cœur et de bon sens, dame Adélaïde était sans conteste la seule amie de l'abbesse qui n'appartînt pas au couvent. Elle avait accueilli Héloïse, lors de son arrivée et de ses rudes débuts en ce coin isolé de Champagne, sans jamais cesser, par la suite, de la réconforter de son amitié et de ses deniers.

Agenouillée près de la couche, elle joignait à présent ses prières à celles de sa sœur. Sous sa guimpe empesée, on ne distinguait d'elle que des cheveux blancs et un large front coupé de rides que le chagrin alourdissait.

Si la mourante ouvrait un instant les yeux qu'elle tenait obstinément clos sur son recueillement, elle serait sans doute heureuse, avant d'expirer, de voir une dernière fois un visage si fidèle.

Un peu en retrait, se tenait la cinquième personne ayant obtenu la permission de passer la nuit auprès de la révérendissime mère.

Nul ne la connaissait. Elle était arrivée après vêpres, munie d'une recommandation de l'évêque de Reims. Son costume et la litière qui l'avait amenée indiquaient une grande aisance que ne démentaient en rien son maintien réservé et l'élégance de ses manières. Une riche bourgeoise, vraisemblablement, que le renom de piété et de sagesse d'Héloïse devait avoir attirée au Paraclet. Elle avait dit se nommer dame Guenièvre et avait insisté pour être admise à partager la veille.

« J'ai accompli un voyage de plusieurs lieues pour venir jusqu'ici, avait-elle expliqué à la prieure, et je vous demande en grâce de me laisser libre de prier pour le repos de votre auguste mère. J'ai tant entendu parler d'elle... »

Tout hôte était sacré. La demande de dame Guenièvre avait donc été agréée sans difficulté. On lui avait aussitôt donné une des cellules réservées aux visiteurs de marque, tout en lui laissant la faculté de venir se recueillir auprès de la mourante si bon lui semblait.

Ayant ramené sur sa tête un pan de sa cape, agrafée sur la poitrine par une plaque d'or ciselé, elle demeurait immobile. Sous le tissu d'épaisse soie lie-de-vin qui l'enveloppait, on distinguait des traits marqués par l'âge, mais qui avaient dû être beaux, des yeux pleins de sagacité, et une bouche aux lèvres épaisses que deux rides encadraient. Elle tenait entre ses doigts un chapelet aux grains d'ambre et paraissait absorbée dans ses dévotions.

Soudain, le souffle de la mourante se précipita. On devinait l'effort qu'il lui fallait accomplir pour aspirer un peu d'air. Sa poitrine se soulevait de façon spasmodique et un faible râle sortait de sa gorge.

« N'y a-t-il vraiment rien à faire, sœur Margue? Sinon pour la guérir, du moins la soulager? »

Mère Agnès s'était penchée vers l'infirmière. La gravité et la douleur se lisaient sur son visage.

« Elle se refuse à boire mon élixir, gémit sœur Margue. Je ne puis le lui faire absorber de force! »

Mère Agnès soupira. Elle connaissait la volonté de l'abbesse et savait à quoi s'en tenir quant aux raisons de son refus.

« La mort lui est désirable, se dit-elle avec résignation. La souhaitant, elle ne fera rien pour entraver son œuvre. Voici donc comment, pour la première fois, Dieu juste, Votre volonté coïncide avec la sienne! »

Dame Guenièvre s'était penchée pour mieux observer la scène. Un intérêt presque avide luisait dans son regard.

« Héloïse va trépasser! Elle n'a plus de couleur. J'aurai donc été de celles qui pourront dire avoir assisté à sa fin. Comme c'est étrange! Je vais être à même de décrire à mon père l'agonie de cette femme dont le destin est à jamais lié à celui d'Abélard. Si vieux que soit mon père, il s'y intéressera. Tout ce qui contribue à lui rappeler son exécration pour le régent des Ecoles de Paris, et leurs longs démêlés, ravive ses facultés amoindries. Héloïse n'est-elle pas demeurée, en dépit de sa charge d'abbesse et du renom de perfection dont elle jouit ici, l'épouse, fidèle par-delà la mort, de ce philosophe qui fut condamné une première fois par le concile de Soissons, une seconde fois par celui de Sens? Elle ne l'a jamais désavoué, ni lui ni leur amour. C'est avec démesure, sans pudeur et sans frein qu'elle s'était donnée à lui. Toute sa piété actuelle n'y peut rien changer! Qu'était-il donc, cet homme, pour avoir si totalement subjugué la plus savante de nos érudites? Mon père et ses amis l'ont toujours décrit comme un monstre d'orgueil, un égoïste, uniquement préoccupé de son plaisir et de sa renommée. Mais les vieilles femmes qui l'ont connu gardent une sorte d'indulgence à son égard. Quand il leur arrive d'en parler, un reste de nostalgie embrume leurs prunelles décolorées. Détesté par toi, Albéric, mon père, par Lotulphe de Lombardie, ton compagnon, par Roscelin, vilipendé par Bernard de Clairvaux lui-même, et par tant d'autres, mais défendu, admiré par Foulques de Deuil, par le comte Thibaud de Champagne, par Pierre le Vénérable, abbé de Cluny, qui était donc, au juste, messire Abélard? »

Dame Guenièvre changea de position. Elle n'était plus jeune, et les cahots de la route qu'elle venait de parcourir l'avaient rompue.

L'excitation qui s'était emparée d'elle quand elle avait appris, grâce au récit d'un pèlerin de passage, la fin prochaine d'Héloïse lui avait fait oublier ses douleurs pour la lancer, sans plus de réflexion, sur les chemins, loin de la demeure opulente de son orfèvre de mari, pour assister en témoin à la mort de celle dont tant de gens parlaient comme d'une créature semi-légendaire.

« Qui, parmi nos lettrés, ne continue à s'intéresser à messire Abélard? Il est mort à présent depuis plus de vingt ans, et, cependant, autour de sa mémoire, les passions subsistent. Son œuvre étonne, scandalise, déconcerte notre génération tout comme elle fit pour les précédentes. En dépit de ses audaces, pourtant, elle est de celles qu'on ne peut ignorer. Avant son malheur, l'homme irritait par son arrogance, son côté ostentatoire, sa superbe, et il est certain que, de nos jours, ses livres entretiennent cette animosité. Il a toujours un grand nombre de détracteurs et d'adversaires. Les griefs de mon père, de beaucoup d'autres encore, restent bien vivants. Chacun le sait, mais il n'en est pas moins vrai qu'il a su s'imposer comme le philosophe le plus courageux de notre époque. Ceux qui l'ont lu prétendent qu'il est en avance sur son siècle, ceux qui l'ont entendu qu'il possédait des dons d'une diversité et d'une richesse exceptionnelles. Qu'on le critique ou qu'on le loue, il faut bien admettre la primauté d'un esprit étincelant et subtil comme le sien. D'ailleurs, qui l'a connu assez intimement pour le juger? Dialecticien, humaniste, poète inspiré et aussi mystique sincère, il ne fut que contradiction et hardiesse. Je me demande si personne l'a jamais vraiment compris. Il ne faut pas être partial. Ses épreuves l'ont certainement épuré. On a dit que la fin de sa vie avait été édifiante. Il se peut que la conscience de ses misères, de ses faiblesses, la souffrance, et les humiliations sans nombre qui s'abattirent sur lui, dans la seconde moitié de son existence, l'aient sauvé de lui-même et du péché contre l'Esprit qu'on lui a tant reproché. Mon père le hait toujours, mais n'est-ce point là entêtement de vieillard? Une seule créature au monde pourrait, raisonnablement, lui en vouloir, mais elle l'adore à l'égal d'une divinité et n'a jamais accepté d'être considérée comme sa victime. Tout au contraire, elle tire gloire d'avoir été choisie par lui, d'avoir souffert à cause de lui, d'avoir renoncé à tout pour lui! N'est-il pas illogique de se montrer plus vindicatif que celle dont il a ravagé la vie? La grandeur d'âme dont ne cesse de faire preuve Héloïse ne nous condamne-t-elle pas? En fin de compte, ne sommes-nous pas coupables de mesquinerie envers celui qui a suscité et entretenu une telle vénération?

En dernier recours, la justification d'Abélard n'est-elle pas l'amour d'Héloïse ? »

Il y eut un bruit du côté de la porte. La mère cellérière entra, portant deux gros cierges de cire vierge qu'elle avait fait tout spécialement confectionner, dans la journée, par des sœurs converses à l'intention de la mourante. Elle s'approcha du lit, s'inclina avec dévotion, et se mit en devoir de déposer les cierges à la tête de la couche. Prenant un brin de romarin incandescent, elle alluma les mèches et souffla la chandelle à demi consumée. La cire ayant été malaxée avec de l'essence de marjolaine, un parfum de fleur se répandit bientôt dans la pièce, refoulant l'odeur de l'herbe à joncher qui se fanait sur le sol et celle des drogues inemployées.

Dame Guenièvre suivit des yeux la mère cellérière, qui s'en allait après s'être signée.

« Parvenue au terme de ses jours, que pense à présent Héloïse ? songeait-elle. Ce masque clos cache-t-il le souci d'une âme rendue à Dieu ou l'obsession d'un cœur jamais apaisé ? La sage abbesse, que chacun loue, est-elle apparence ou réalité ? Que reste-t-il, sous la coiffe de lin, de la folle aventure, des souvenirs luxurieux ? A-t-elle abjuré sa foi en Abélard ? S'est-elle, enfin, soumise à la volonté divine ? »

Une touffeur sentant la sueur et les aromates pesait sur les femmes à genoux autour du lit. L'air confiné devenait lourd.

Sœur Margue se leva dans un bruit de jupe et alla ouvrir une des fenêtres étroites donnant sur le jardin. Dehors, la nuit de mai n'était que douceur. Le cri d'un râle d'eau et le ululement d'une chouette, qui devait nicher dans un noyer voisin, pénétrèrent dans la pièce avec des senteurs de lilas et de plantes aquatiques. Le bruit de la rivière occupait le silence, comme un fond murmurant sur lequel le souffle de l'agonisante s'élevait de façon irrégulière et combien menacée.

Tu as parlé d'allégresse, Pierre, à propos de la lettre que je t'écrivis quand je m'aperçus que j'attendais un enfant.

Ce fut du ravissement et du triomphe. Je portais, j'allais mettre au monde un être né de toi et de moi, une créature participant de nous deux, en laquelle seraient unies à jamais nos deux essences! De par lui, indissolublement, nous serions liés. Une telle éventualité me comblait. Pendant un temps, je me délectai à être la seule qui sût la présence invisible qui m'habitait. J'en tirais même un secret orgueil. Quelle est la mère qui n'a ressenti en son cœur ce sentiment d'importance et de mystère, quand elle se découvre chargée d'une telle promesse? Bien vite, cependant, je désirai que tout le monde sût l'événement. Cette naissance proclamerait enfin à la face du monde que j'étais tienne et que je le demeurerais.

Un reste de prudence me fit taire ma joie. Je t'écrivis aussitôt pour t'apprendre l'exaltante nouvelle et pour te consulter. Que devais-je faire?

Au cours d'une promenade dans notre jardin, où j'avais encore la permission de me rendre, en considération des murs qui le fermaient de toutes parts, je pus joindre Sibyle et lui glisser la lettre que je te destinais. Elle s'arrangea pour te la faire parvenir, et tu m'adressas en retour une missive qui me fut remise par la même messagère.

Tu y louais ma vaillance. Il était bien question de courage! C'était d'amour qu'il s'agissait! Dieu merci, tu m'y exposais également un projet d'enlèvement qui acheva de m'enchanter. J'avais à peine dix-huit ans, en ce temps-là, et un reste d'enfance s'attardait en moi pour se manifester de façon inattendue quand surgissait quelque situation excitante. J'étais sans doute forte, vois-tu, dans les épreuves, mais tout m'était divertissement dans les instants de bonheur.

Tu me proposais de me faire quitter la maison de mon oncle, et Paris, pour me conduire en Bretagne, chez ta sœur Denise, qui habitait encore dans ton pays natal, au Pallet. Si ta mère n'était pas entrée, comme le voulait la règle, dans les ordres en même temps que ton père, si tous deux n'avaient pas consacré, chacun de son côté, le restant de sa vie à prier Dieu, c'est sous ton propre toit que je me serais réfugiée. Il n'en était pas question. Tu avais donc songé à Denise parce qu'elle était bonne et toute dévouée à ta cause. Plus proche de toi qu'aucun autre de tes frères et sœurs, mariée, mère de famille, elle offrait toutes les garanties désirables pour un tel projet. Tu savais aussi qu'elle me traiterait avec amitié.

Cette partie du programme ne présentait pas de difficulté majeure, mais mon départ de la maison, où Fulbert me tenait prisonnière, était une tout autre histoire.

Heureusement, un événement fortuit, si tant est qu'un événement le soit jamais, me vint en aide. Mon oncle fut convié sur ces entrefaites à se rendre chez un chanoine de ses amis, demeurant à Provins, et qui organisait pour son propre enseignement une joute oratoire sur un sujet de théologie. Flatté et tenté par l'invitation qui lui était faite, le vieillard se décida à partir, en dépit de l'inquiétude que je lui causais. Il fit maintes recommandations à mon geôlier, sermonna les servantes, me tint un grand discours sur les devoirs d'une fille, et s'en alla sur sa mule, suivi d'un seul valet.

Je le vis partir avec jubilation. Grâce à Sibyle, je te fis avertir de cette absence, puis je préparai le plus discrètement possible un sac où je mis un peu de linge, quelques vêtements et deux ou trois livres que j'aimais.

C'est en triant mes affaires que je trouvai, rangé au fond de mon coffre, un habit de religieuse complet dont une sœur d'Argenteuil m'avait fait présent, quand j'avais quitté le couvent. Cette trouvaille me donna une idée. Je savais les routes peu sûres et fort long le parcours à effectuer. De multiples dangers guetteraient sur les chemins le couple sans escorte que nous formerions. Pourquoi ne pas revêtir ce vêtement sacré? Il me protégerait mieux des brigands et des pillards qu'une suite d'écuyers en armes.

Sous ton costume de chanoine et sous mes voiles de nonne, nous serions à l'abri des violences et des cupidités. Je décidai donc de passer la robe monacale dès que le moment en serait venu, et je t'attendis.

Tu m'as cruellement reproché, depuis lors, ce déguisement que tu qualifias d'irrévérencieux. Dans mon esprit, il ne l'était pas. Je n'eus pas une seconde la pensée d'outrager la profession bénédictine en imaginant cette ruse. Je n'avais qu'un seul but : mettre plus sûrement à l'abri le précieux fardeau que je portais. Ce travestissement n'était, à mes yeux, qu'un moyen habile de me protéger ainsi que mon enfant. On peut me blâmer d'avoir agi à la légère, mais, si je me suis comportée de la sorte, sans prendre le temps de la réflexion, je puis néanmoins affirmer qu'aucune idée profanatoire ne m'effleura. Jamais je n'ai voulu, selon tes propres mots, me jouer de la grâce divine. Loin de moi un tel sacrilège! Sur bien des points, je te l'ai déjà dit, j'étais encore une enfant. Dans la fièvre des préparatifs, il me parut tout simple d'utiliser cet ajustement que je venais de découvrir si opportunément. N'était-ce pas là un nouvel adjuvant à l'enivrante aventure?

Tu me fis beaucoup de mal, par la suite, en m'accusant de ce péché impie. Mais il était sans doute dans mon destin de payer d'une souffrance chaque moment, chaque miette de félicité. Il est vrai que Dieu m'avait donné le dangereux privilège de me réjouir et de me torturer avec une terrible et égale intensité.

Je reçus peu après le billet où tu m'invitais à me tenir prête pour la prochaine nuit. Un bonheur délirant me submergea.

Sibyle se chargea, une dernière fois, de mêler du pavot au vin de mon garde du corps, qui ronfla bientôt de la plus belle façon. Elle s'employa également à détourner l'attention de ma servante boiteuse, en l'occupant à babiller avec les filles de cuisine, et la voie se trouva libre. Je pouvais m'en aller.

Une impression d'irréalité me portait pendant que je me glissais, à l'heure convenue, dans l'escalier de la maison que j'abandonnais sans doute pour toujours. Nul remords, nulle appréhension. Une assurance absolue, au contraire, et une certitude sans défaut. Je partais vers toi, vers ton pays, pour mettre au monde mon enfant. Notre enfant. Le Ciel me pardonne, tout comme Marie attendant Jésus, je me proclamais bien heureuse!

Dans le jardin assombri, je te rejoignis sous les branches. L'été s'achevait. Les premières pommes étaient mûres et leur odeur douceâtre flottait dans la nuit de septembre. Il faisait beau. La pluie la plus obstinée, d'ailleurs, n'aurait pas entamé mon entrain.

Te souviens-tu avec quel emportement tu me serras contre toi? Je n'avais point encore commencé de grossir et je conservais la souplesse de ma taille, que tu comparais, comme le psalmiste, au tronc d'un jeune peuplier.

Sous le manteau qui m'enveloppait, tu ne distinguas pas le vêtement que je portais, mais le voile de lin noir qui recouvrait ma tête t'intrigua. Je t'avouai donc ma supercherie. Si j'ai bonne mémoire, tu n'en parus pas autrement scandalisé. Il me revient même que tu me félicitas pour mon initiative. Toutefois, il est naturel que tu aies envisagé cet accoutrement d'une tout autre manière, après tant de malheurs et d'années écoulées.

Nous ne nous attardâmes pas dans l'enclos des chanoines et nous prîmes aussitôt la fuite. Pour ne pas attirer l'attention du guet, tu avais fait conduire par ton valet deux bons chevaux sellés, de l'autre côté du petit pont, non loin de la chapelle Saint-Séverin.

Il faisait encore nuit quand nous nous éloignâmes de Paris, par la rue Saint-Jacques. La lune, qui était pleine, fut notre premier guide. Lorsque j'évoque cet enlèvement, notre route et le voyage qu'il nous fallut accomplir, je ne cesse de louer ta prévoyance et la façon dont tu organisas nos étapes. Il est vrai que l'itinéraire t'était familier pour l'avoir déjà plusieurs fois parcouru, mais il n'en était pas moins semé d'embûches.

Tu avais pris la précaution de faire signer par notre évêque, que tu connaissais bien, un sauf-conduit te donnant les mêmes garanties de secours et d'égards qu'il octroyait d'ordinaire à ceux qui partaient en pèlerinage. Ce document nous assurait le gîte et la chère dans les hospices, les hôpitaux routiers et les maisons-Dieu situés sur notre parcours.

La route d'Orléans que nous empruntâmes pour commencer, nous apparut comme très fréquentée dès que le jour se leva. C'était, me dis-tu, chose normale sur la vieille voie romaine, encore bien entretenue par le soin des congrégations qui ne cessaient de s'en occuper. Elle reste, de beaucoup, m'expliquas-tu encore, le chemin le plus utilisé par les caravanes de pèlerins qui se rendent à Saint-Jacques-de-Compostelle.

Nos vêtements religieux nous valurent le respect de tous et nous permirent de nous fondre parmi les autres voyageurs sans attirer l'attention de personne, tant les habits sacerdotaux étaient nombreux.

Ce me fut une nouvelle raison d'apaisement. Qui donc, dans cette foule, pourrait nous reconnaître, si tant est que quiconque ait eu vent de notre disparition? Je me rassurai de la sorte et cessai de penser à mon oncle et à ses sbires.

Tout m'était sujet de curiosité et d'amusement au début de ce premier grand voyage que j'entreprenais de si passionnante façon.

La chaussée, ravinée, creusée d'ornières et assez boueuse, filait, toute droite, bien tracée, à travers champs et forêts. Je découvrais la beauté verdoyante d'une région que je ne connaissais pas et qui différait sensiblement des coteaux d'Argenteuil.

En dépit des chaleurs de l'été finissant, les feuillages n'étaient point encore touchés d'or, les herbes folles et les fougères des talus demeuraient fraîches, et de minces cours d'eau pleins de cresson couraient dans les prairies. Des clochers pointaient au-dessus des frondaisons, brillants de soleil dans la splendeur du matin.

Une allégresse à goût de vent et de feuilles s'emparait de moi. Les êtres et les choses me semblaient bienveillants ou complices. Il n'y avait pas jusqu'aux paysans labourant leurs champs qui ne me parussent nous suivre des yeux avec approbation, et les pastoureaux aux houseaux rapiécés, qui jouaient du pipeau en gardant leurs moutons, égrenaient des notes que je qualifiais d'amicales!

Vois-tu, Pierre, il n'est de vérité que celle du cœur, et le mien débordait.

Cependant, nos chevaux nous emportaient, aussi vite que possible, au milieu des voyageurs de toute espèce qui cheminaient dans la même direction que nous. Parmi eux, il y avait un grand nombre de moines noirs et blancs, marchant pieds nus sur les pierres, mais il se trouvait aussi de gras abbés montés sur des mules. Des basternes cahotantes croisaient de riches litières entourées d'une escorte solidement armée. Des troupes de pèlerins, chantant des cantiques, vêtus de la pèlerine de bure, la gourde en bandoulière, le chapeau noir garni de coquilles sur la tête et le bourdon à la main, se faisaient dépasser par des guildes de marchands, plus soucieux d'écus que de patenôtres, qui transportaient à dos d'âne ou de mulet des coffres aux panses bien remplies. Des étudiants, sans autre bagage que leurs tablettes de cire et leurs plumes, allaient de compagnie avec des écuyers aux armures élégantes. Des jongleurs, des bateleurs suivaient l'un ou l'autre groupe, dans l'espoir d'un gain improbable ou d'une bénédiction toujours bonne à prendre. Des mendiants erraient sur les bas-côtés, tendant vers nous des doigts crochus ou des moignons, et, pour achever d'encombrer la chaussée, des bergers d'une lenteur éprouvante conduisaient leurs troupeaux à l'abreuvoir!

Nous allions, droit devant nous, chevauchant côte à côte, échangeant de rares paroles, mais maints regards de connivence.

Nous traversâmes de maigres bourgs où des poules affolées piaillaient entre les pattes de nos montures, et des villes opulentes, comme Etampes, où nous eûmes notre première étape dans une auberge peu avenante. La foire y attirait un grand concours de peuple, et ce ne fut qu'après bien des refus que nous échouâmes entre ses murs de torchis où on nous dénicha une soupente pour tout gîte. En dépit de la crasse, nous n'y fûmes pas malheureux.

Le lendemain, nous reprîmes la route. Un orage creva sur nous, nous mouillant jusqu'aux os, mais il ne faisait pas froid et nous préférâmes continuer notre chemin.

De menus incidents émaillaient notre randonnée, comme cette fille simplement vêtue d'une chemise, les cheveux flottant sur les épaules, l'air inspiré, que nous avons croisée à la hauteur d'un bois, peu après Toury, qui semblait marcher dans un rêve, sous les quolibets et les propos gaillards que lui lançaient les garçons de rencontre.

Pour laisser reposer nos chevaux, nous nous arrêtions parfois dans un village et en profitions pour manger un morceau de lard, du fromage, des fruits.

Les croix balisaient notre cheminement, et les puits,

les fontaines, les montjoies, faites de pierres plates empilées en forme de pyramide au faîte du moindre monticule. Des oratoires routiers, de petites chapelles à la flèche aiguë surveillaient les carrefours, gardaient les passages difficiles, sanctifiaient les endroits dangereux. Ils nous servirent plusieurs fois d'abris provisoires ou de refuges, quand la pluie tombait trop dru ou que la fatigue me gagnait. Je me souviens de la paix, de l'odeur d'encens de ces pauvres sanctuaires où tremblaient dans la pénombre des lueurs de cierges éclairant l'humble autel de pierre ou de bois. Je revois aussi certaines statues de Christ ou de Vierge dolente, taillées avec vénération, par le couteau d'un homme simple, dans le cœur d'un chêne ou d'un châtaignier.

Jusqu'à Tours, il ne nous arriva rien de fâcheux, hormis les caprices du temps et quelques péages qu'il nous fallut acquitter sous la menace.

La crainte des détrousseurs de grands chemins nous tenaillait bien un peu, mais il y avait trop de passage sur la route de Saint-Jacques pour qu'ils s'y risquassent ouvertement.

Nous prenions goût à cette errance qui nous permettait de vivre si à l'aise, l'un près de l'autre, sans risque et sans loi.

Lorsque nous n'avions point rencontré d'auberge ou d'hôtellerie à notre convenance, nous trouvions asile, grâce au certificat que t'avait délivré ton évêque, dans quelque hospice routier dont nos costumes nous ouvraient grand les portes. Nous y étions reçus ainsi que des vagabonds de Dieu, nourris, couchés, réconfortés. Quelle affluence, Seigneur, dans Vos maisons! Des pénitents publics, aux frocs sombres, marqués de croix rouges, des femmes entourées d'un grouillement d'enfants, d'autres dont la vertu paraissait incertaine, des malades aux pansements maculés, des clercs faméliques, des besaciers, et, surtout, d'innombrables pèlerins.

Après une prière aux reliques de saint Euverte, à

Orléans, nous passâmes la Loire dont j'aimais l'étalement majestueux. Nous saluâmes ensuite, au passage, Notre-Dame de Cléry. Puis ce fut Blois, où nous fîmes étape dans une grasse auberge dont la table était bonne. Pour respecter les convenances, ainsi que chaque fois que nous nous trouvions en un lieu décent, nous avions réclamé deux chambres. Comme chaque fois, aussi, tu vins, à la nuitée, me rejoindre dans la mienne.

A Tours, lieu de pèlerinage s'il en fut, il y avait afflux de monde. Le corps de saint Martin, qui ressuscita trois morts, y attire, bon an mal an, une assistance nombreuse. Dans la basilique dédiée à son saint patron, on s'écrasait devant la châsse richement sculptée et dorée. J'y priai avec une ardeur toute particulière pour que mon enfant fût un fils et qu'il te ressemblât.

Malheureusement pour nous, il nous fallait, en cette bonne ville, quitter la voie romaine. La route de Saint-Jacques et son incessant mouvement de pèlerins se dirigeaient vers Poitiers, alors qu'il nous fallait gagner les abords de Nantes.

Nous prîmes donc l'étroite route qui épousait le cours méandreux de la Loire parmi les vignobles et les prés. La campagne, à l'entour, était semée de châteaux forts dont les tours crénelées se dressaient avec arrogance un peu partout. Il y en avait sur les coteaux, au fond des bois, à chaque boucle du fleuve.

Nous n'étions pas sans savoir que ces forteresses servaient parfois de repaires à des seigneurs aux mœurs grossières ou féroces qui s'enrichissaient à l'aide de taxes illégales, de pillage, et, au besoin, de tortures. De sombres récits nous revenaient en mémoire. Tout en suivant, sur la rive sud, le large lit du cours d'eau, en admirant la lumière, semblable à une poudre dorée, qui baignait le val, nous ne laissions pas d'être inquiets et de regarder chaque taillis, chaque venelle, avec circonspection. Au reste, peu de voyageurs sur le chemin mal tracé, envahi par les herbes, barré de ronces, et creusé d'ornières boueuses. Nos chevaux avaient ralenti leur allure sur ce terrain glissant et l'inquiétude me gagnait.

Pour me rassurer, tu chantais, de ta voix que j'aimais tant, quelque cantilène ou quelque ballade en mon honneur, ou tu t'ingéniais à me faire remarquer les murs candides de moutiers habités par de pieux moines et disséminés sur les deux rives.

Des villages, aux pignons blancs et pointus, aux meules encapuchonnées, aux tas de fumier puants, se serraient au pied des forteresses. Quand nous passions trop près des maisons, des aboiements de chiens fusaient aussitôt de toutes parts.

Nous rencontrions des enfants gardant des chèvres; des femmes qui suivaient à pas lents quelques vaches, tout en faisant tourner une quenouille entre leurs doigts; des paysans à l'air taciturne ramenant des chevaux de l'abreuvoir; des porchers, qui jouaient du chalumeau tandis que leurs porcs fouillaient le sol sous les branches des chênes; et des moines à pied ou à dos d'âne qui égrenaient un rosaire tout en se hâtant.

Le soir tombait quand nous arrivâmes à Candes, petite ville ceinturée de murailles, située au confluent de la Loire et de la Vienne, où mourut saint Martin. Tu me conduisis vers la cellule délabrée, mais pieusement décorée de fleurs, où avait vécu le grand saint. A sa place, me dis-tu, il était question de construire une église. Tu me racontas aussi comment un groupe de Tourangeaux décidés étaient venus en barque, un beau soir, pour enlever le corps que tous vénéraient. Après s'être introduits par une fenêtre, ces larrons d'un genre particulier avaient déterré la dépouille sacrée, l'avaient hissée par l'étroite croisée qui leur avait déjà livré passage et s'étaient enfuis à force de rames en emportant triomphalement leur butin jusqu'à Tours. Cette aventure me divertit, mais je me gardai bien d'y faire allusion devant l'aubergiste qui nous reçut, le bonnet à la main, sur le seuil de son établissement.

Après une nuit qui fut douce, nous repartîmes à l'aube vers Saumur. La tendre lumière matinale blondissait les saules, les peupliers, les aulnes, et les noisetiers du bord de l'eau. Jusqu'à l'horizon moutonnaient de nonchalants coteaux couverts de vignes.

La ville une fois passée, le chemin changea de visage. Il s'enfonçait dans une forêt de hêtres où il nous fallut bien pénétrer. Hormis quelques bûcherons que nous croisions de temps à autre, la piste, que nous suivions à travers les fûts élancés, était déserte. Des chants d'oiseaux, de brusques envols, des fuites éperdues, le bond d'un chevreuil ou d'un lièvre animaient, seuls, cette solitude. Devinant mon angoisse, tu tentais de me réconforter en m'assurant que la connaissance que tu avais de cette région nous permettrait de surmonter tout danger, mais des histoires de sorcellerie me revenaient en tête et mon cœur sautait comme un chevreau dans ma poitrine au moindre froissement de feuilles.

Mon épouvantement s'accrut quand le bruit d'une troupe lancée au galop retentit soudain derrière nous. Nous nous serrâmes contre les troncs gris pour laisser passer des cavaliers de fort mauvaise mine qui nous dédaignèrent, sans doute à cause de nos humbles costumes. Ce ne fut qu'une bonne lieue plus loin que nous comprîmes ce qu'ils cherchaient.

Un homme encore jeune était pendu par les pieds à la maîtresse branche d'un chêne qui semblait être poussé tout exprès à la croisée des chemins pour faire office de potence. Ses vêtements de velours déchirés et salis, le sang qui coulait de son visage jusqu'à terre, et un tronçon de lame, brillant à quelques pas de là dans l'herbe foulée et piétinée, disaient qu'il s'était défendu vainement contre ses agresseurs. Au loin, on percevait des hennissements de chevaux et des cris de femme.

« Il est mort », constatas-tu après t'être approché du corps.

En dépit de tes objurgations et de la nausée qui me soulevait le cœur, je descendis de mon cheval pour t'aider à dépendre le cadavre, pour l'étendre sur la mousse. Tu le recouvris de son manteau, et nous nous mîmes en prière pour le repos de cette pauvre âme.

Ebranlée par l'émotion, je te demandai, un peu plus tard, d'écourter ce jour-là notre trajet. Il se trouvait justement, car nous approchions de ton pays, qu'un baron de ta connaissance, dont le château était voisin, pourrait nous donner asile, à ce que tu m'assuras, si nous allions le lui demander.

J'ai oublié le nom de notre hôte d'un soir, mais je me souviens de sa bonté et de la spontanéité de son accueil. Il ne chercha pas à savoir quel lien m'attachait à toi, mais me reçut comme une sœur. Me sentir à l'abri de sa courtoisie, derrière le pont-levis relevé et les hautes murailles de la citadelle, me fut d'un grand allégement.

Après un souper abondant, des jongleurs, des tambourineurs et un trouvère qui s'accompagnait fort plaisamment de la citole nous firent oublier l'horreur de la scène vécue dans la forêt.

Le lendemain matin, une pluie têtue noyait les contours des vallons entourant le château. Cependant, en disant adieu au gentil seigneur qui nous avait si charitablement hébergés, je me sentais réconfortée.

Nous continuâmes donc à suivre, sous l'averse cette fois, le cours de la Loire et ses méandres. A Chalonnes, nous quittâmes le fleuve pour nous enfoncer dans les terres en direction de Clisson et du Pallet.

Les chemins devinrent affreux. Remplis de boue ou de pierrailles, jonchés de bois mort, à peine visibles, ils entravaient plus qu'ils n'aidaient notre marche. Il nous arriva de nous lancer à travers prés pour éviter les fondrières qui nous menaçaient.

A l'approche de la région côtière, le temps ne cessa de se gâter. Des pluies de plus en plus fréquentes se déversaient sur nos têtes, nous laissant trempés dans des vêtements qui n'avaient pas eu loisir de sécher. Pour nous dérober à ces déluges, et malgré le retard que des arrêts incessants mettaient à notre progression, nous cherchions abri dans les reposoirs bâtis à cette intention, de place en place, au bord du sentier. Je ne sais si tu te souviens d'un certain colporteur trop bavard à ton gré, qui nous tint compagnie dans un de ces refuges, bien contre notre désir. Il voulait à tout prix nous faire acheter un des colifichets qu'il transportait dans sa boîte, et n'eut de cesse que tu ne m'aies offert un stylet pour écrire, quand il sut que j'en étais capable.

Tu t'inquiétais aussi pour l'enfantelet que je portais! Pas moi. Je connaissais ma robustesse. Mais il n'en est pas moins vrai que les dernières lieues, qui s'étiraient sans fin entre Beaupréau et Clisson, nous parurent fort longues. Pour échapper à la monotonie, je me disais que cet enlèvement avait des charmes assez puissants pour faire oublier ses inconvénients momentanés. Je te priais alors de chanter, afin de me distraire.

Le paysage changea soudain. Nous pénétrions dans le Bocage. Une beauté farouche émanait des amoncellements de rocs gigantesques, jetés en un chaos de fin du monde au milieu d'arbres centenaires aux troncs noueux. Des ruisseaux, bondissant comme des torrents, couraient sur des fonds de clairs graviers. Des prairies d'un vert émeraude et une végétation proliférante me firent penser à quelque Eden sauvage où il nous aurait été donné de pénétrer. Sur une colline, dominant de sa masse le confluent de deux rivières, une citadelle aux tours écrasantes se dressait, impérieuse, comme la gardienne de quelque royaume enchanté.

« Nous sommes tout proches », dis-tu avec soulagement.

Il ne nous restait plus que deux lieues à parcourir.

Le village du Pallet me plut tout de suite. Entouré de pâturages et de bois verdoyants, arrosé par un cours d'eau limpide, la Sanguèze, il m'apparut, au bout de notre course, comme le havre que j'espérais.

Bien qu'en terre étrangère, je ne me sentais pas exilée dans ce pays qui était le tien et où, loin des foudres de mon oncle, je trouverais la quiétude dont je ressentais si fort le besoin.

Le château où tu étais né te serait revenu de droit en tant qu'aîné si ton état de clerc ne t'en avait dépossédé. Il était donc devenu le bien de ton frère cadet qui n'y résidait que rarement, préférant vivre à Nantes. Ce fut vers la demeure de ta sœur que nous nous dirigeâmes après que tu m'eus fait passer devant l'austère bâtisse de tes aïeux.

Je me souviens de tout. Du goût de sel qu'avait le vent en cette journée de septembre, de la vitesse des nuages glissant dans le ciel, de ton visage hâlé par le grand air, de ma lassitude, de notre commune espérance en une existence nouvelle, et des passeroses qui fleurissaient le seuil du logis de Denise.

C'était une belle maison, festonnée de treilles, coiffée d'ardoises, qui dressait avec fierté son pignon au-dessus des toits de chaume du village. Une cour herbue, avec un puits ombragé par un gros figuier, un verger plein de branches odorantes, des écuries, des remises, et tout un menu peuple de valets, de servantes composaient et peuplaient le domaine de ta sœur. Quand elle se porta au-devant de nous, je vis que ce n'était pas là une simple femme de la campagne, mais bien une personnalité, et je m'apprêtai à l'aimer. La chaleur de son accueil ne me déçut pas. Aucune réticence de la part de cette mère de famille aux nombreux enfants qui aurait pu s'indigner de notre situation, se choquer de me voir enceinte sous l'habit de religieuse, et nous condamner tous deux. Elle m'ouvrit simplement les bras et m'appela sa sœur. Grande, blonde, elle te ressemblait, et ce trait me toucha. Seuls, ses yeux gris différaient de tes prunelles noires où s'allumaient, à mon voisinage, de si ardentes flammes.

« Considérez-vous céans comme chez vous, Héloïse! »

Je m'y sentis tout de suite à mon aise, en effet. Sans doute parce que j'avais été une enfant sans mère et sans véritable foyer, il me fut aisé de m'incorporer à ta famille. Pas un instant je ne souffris de dépaysement. Tout au contraire j'éprouvai très vite un bien-être aussi profond que s'il avait été fait d'habitudes anciennes. Bien entendu, le mérite en revenait à Denise. Vivre près d'elle pacifiait. J'appris peu à peu à mieux la connaître et j'en vins à penser que son attitude tranquille cachait une âme éprise d'absolu. Sous ses apparences de femme heureuse, elle dissimulait un état d'inquiétude qui la tenait en alerte du matin au soir. Bonne jusqu'à l'oubli d'elle-même, elle témoignait cependant d'une susceptibilité déconcertante. Mère attentive s'il en fut, elle réclamait en retour un attachement sans partage. Epouse toute dévouée, elle se sentait blessée par la moindre inattention. Son art était de savoir tirer de chacun de ces déchirements intimes un suc de tendresse dont tous bénéficiaient.

Avec moi, elle fut parfaite. En dépit de ses neuf enfants et de son époux, un besoin de se donner jamais apaisé sourdait au fond de son cœur. J'en profitai. Elle me donna une chambre du premier étage, orientée au midi, avec un lit carré de chêne et des draps de toile fine. Chaque jour, on jonchait mon plancher d'herbes fraîches qui fleuraient bon la menthe et la citronnelle. De vastes coffres de bois sculpté furent apportés afin que j'y pusse ranger mes affaires, et une lampe en terre contenant une mèche baignant dans l'huile fut suspendue par un jeu de chaînettes à mon chevet pour que je fusse éclairée, une fois couchée.

Dès notre arrivée, ta sœur se prodigua. Pour commencer, elle nous fit préparer un bon souper. Puis son mari et ses fils aînés, au retour des champs, vinrent nous rejoindre, afin de nous saluer de manière fort affectueuse. Avant le repas, dans la tiédeur du soleil couchant, nous restâmes un moment sur le seuil à deviser de compagnie.

Je nous revois tous, un peu plus tard, parents, enfants, serviteurs, rassemblés dans la salle du rez-de-chaussée. Cette pièce, de taille imposante, était le cœur de la maison : on y mangeait, on y dormait, on y cuisinait, on y veillait. Aux poutres brunies du plafond étaient suspendus des jambons, des casiers à fromage et des quartiers de lard. Le pétrin y voisinait avec la huche, et un buffet où trônaient des étains jouxtait la crédence aux épices. Des lits clos occupaient trois de ses côtés, et une cheminée digne d'un château garnissait le quatrième. Sous son manteau, large comme un dais, étaient accrochées des viandes mises là pour être fumées. De chaque côté du foyer, deux bancs de pierre offraient un abri confortable contre le froid et les vents coulis. Des chats y ronronnaient avec béatitude.

Pour me chauffer les doigts, je m'étais approchée de l'âtre où brûlait un feu d'enfer. Ses flammes léchaient les flancs d'une marmite qu'on eût dite pour géants. Solidement suspendue à une crémaillère, elle laissait échapper, en dépit d'un lourd couvercle, un fumet qui aiguisa mon appétit. Les landiers de fer battu servaient de supports à des plats couverts qui se tenaient au chaud commodément et, parmi les cendres, de nombreux pots posés sur des braises mijotaient à petits bouillons.

Nous prîmes place autour de la longue table servie. Après le bénédicité, chacun s'assit. J'étais à la droite du maître de maison qui siégeait au haut bout, sur un siège à dos sculpté. Sa famille s'étageait par ordre d'âge sur les bancs fixés à la table. Les valets se tenaient à l'extrémité.

Ton beau-frère avait dans son comportement quelque chose de décidé et d'attentif qui me plut aussitôt. Sec comme un sarment, grand, le teint basané par les intempéries, le nez en bec d'aigle, il posait sur son entourage un regard hardi qui s'intéressait au moindre détail pour en faire son profit.

Des neuf enfants du couple, je ne me souviens pas avec exactitude. Je sais seulement que le second fils te ressemblait comme un jeune frère et que la dernière-née, Agathe, qui vint, plus tard, me rejoindre au Paraclet, avait alors des charmes enfantins qui remuaient en moi une fibre en voie d'épanouissement. Notre Agnès, la fille que Denise eut l'année suivante, n'était pas encore annoncée.

Ce premier repas, dont j'ai oublié les composants, à part un certain pâté d'anguilles dont tu retrouvas le goût avec ravissement, conserve en mon souvenir un bouquet rustique. Tout y était nouveau pour moi : l'odeur du cidre, la saveur du pain de seigle, la senteur du linge de table blanchi sur le pré, et les effluves insistants de l'étable qui se faufilaient jusqu'à nous.

Les servantes allaient sans cesse de la cheminée aux convives. Denise ne se déplaça que pour découper les chapons. Ce qui me surprit le plus, ce fut le peu de paroles qu'échangeait tout ce monde. Alors qu'à Paris les amis de mon oncle et nous-mêmes nous entretenions tout au long du repas, je constatai qu'en Bretagne enfants et serviteurs mangeaient sans souffler mot. Seuls, Louis et Denise échangeaient avec nous des propos dénués de fièvre sur l'état des chemins, le temps, ou les dernières récoltes. Ils s'adressaient, l'un et l'autre, à toi avec une déférence à laquelle je fus sensible. Manifestement, ils se sentaient flattés de nous recevoir. J'étais heureuse de constater que ton renom n'était pas inconnu des tiens, ainsi qu'il advient si souvent. Je fus également touchée par la délicatesse dont ils firent preuve en ne faisant aucune allusion à l'irrégularité de notre situation, à notre fuite, à mes espérances.

Après la veillée qu'on écourta par égard pour notre fatigue, je me retirai dans ma chambre. Je m'arrêtai un moment sur son seuil. Dans ce cadre, j'allais vivre pendant des jours, des mois, peut-être des années. Qui pouvait savoir? Je me refusais à faire des projets, de quelque ordre que ce fût. La sagesse voulait que je vécusse sans me soucier du lendemain, sans me permettre d'imaginer un avenir dont il m'était impossible de rien prévoir. D'ailleurs, je n'avais pas d'angoisse. Là où tu m'avais conduite était ma place. Là était, à présent, mon gîte et mon refuge. Il me fallait attendre, simplement, la commune naissance de mon fils et de mon destin. Plus tard, j'aviserais.

Je m'accoudai à la fenêtre qui donnait sur le verger pour respirer l'air de la nuit. Il faisait bon. Aux exhalaisons des fruits qui mûrissaient non loin de moi, se mêlaient une lointaine haleine marine et certains relents de bétail. Je sus avec certitude que j'avais bien fait de suivre ton conseil et que, sous ce toit paisible, rien d'aventureux ne pourrait m'arriver.

En m'étendant ensuite entre les draps blancs, un peu cassants, qui sentaient la lessive, je me trouvai lasse, mais une sérénité champêtre me berçait, qui m'endormit presque aussitôt.

Afin de me familiariser, disais-tu, avec les us et coutumes de ton pays, tu décidas de demeurer quelques jours près de moi. Je crois que tu aspirais surtout à goûter en ma compagnie les joies simples d'une existence sans contrainte et sans interdit. Ce furent des moments bénis. Tu me faisais suivre pas à pas les sentiers de ton enfance, parcourir les bois jaunissants que tu avais aimés, côtoyer les ruisseaux où, jadis, tu t'étais baigné. C'était, de toi à moi, une nouvelle initiation. Nous mordions aux mêmes poires, croquions ensemble des noisettes, et tressions l'un pour l'autre des couronnes de fleurs.

Hélas! ce bonheur ne pouvait durer toujours! Il te fallait partir. Tu ne pouvais t'attarder davantage avec moi. Tes étudiants, ta carrière, mille devoirs de ta charge t'attendaient à Paris.

Après une dernière promenade autour de la maison dont les treilles portaient déjà des grappes dorées, après des étreintes éperdues et des baisers sans fin, nous dûmes nous séparer. Pour combien de temps? Nous l'ignorions tous deux. Te quitter me déchirait. Aucun être humain, pas même l'enfant que j'attendais, ne pouvait combler le vide que ton absence créait en moi. Ce fut à ce moment-là que je compris combien la femme, en moi, l'emportait sur la mère. Je sus d'instinct qu'il en serait toujours ainsi.

Par respect pour ton courage, par souci de dignité, et pour ne pas affliger ta sœur, je retins mes larmes quand je te vis t'en aller, un petit matin, au galop de ton cheval. Si mes yeux étaient secs, mon cœur saignait!

« N'ayez crainte, mon frère, nous vous la soignerons! » avait assuré Denise en te donnant l'accolade.

Nous savions qu'on pouvait compter sur elle, mais là n'était pas notre souci.

Après une nuit de larmes, je décidai cependant de ne pas contrister les tiens par le spectacle de mon affliction. Je tenais, vois-tu, à leur prouver que j'étais digne de toi.

Leur attitude pleine de ménagement et de bonté me simplifia la tâche. Jamais reine attendant l'héritier du trône ne fut plus entourée de soins que je le fus au Pallet durant ma grossesse. On me réservait les mets les plus délicats, les plus beaux fruits, les pâtisseries les plus fines. De crainte que je ne souffrisse du froid, on me réserva une place sous le manteau de la cheminée, et on le garnit de coussins. Pour me désennuyer, pendant les longues pluies d'automne, les enfants jouaient pour moi des mystères, et Denise contait les récits légendaires de Lancelot du Lac ou les enchantements de Merlin et de Mélusine.

Les saisons se succédèrent. Il y eut le temps des colchiques dans les prés, celui des vendanges, celui des marrons cuits sous la cendre et du cidre nouveau. Les feuilles blondirent, rougirent, jonchèrent la cour. Dès le matin, on allumait un grand feu dans la salle avec les tisons de la veille demeurés incandescents, et on remplissait de paille les sabots.

Les premières gelées blanches firent leur apparition. Le sol durci résonna sous le pas des chevaux. On tua trois cochons, on les sala, on les fuma pour les jours de disette. A la Saint-Michel, Louis paya ses journaliers et en loua d'autres. A la Saint-Martin, comme il se doit, les labours et les semailles d'automne se trouvèrent achevés.

Puis le froid s'installa. Après la pluie, vint la neige. Une clarté blafarde emplissait la maison dès qu'on ouvrait la porte. Une pelisse d'hermine fourrait la campagne, étoffait les arbres les plus grêles, transformait les horizons familiers en steppes immaculées. Denise grondait les enfants qui rentraient trempés après des batailles de boules de neige.

Un peu avant Noël, les loups se montrèrent. La nuit, on les entendait gratter contre la porte des étables, hurler à la lune et se battre pour quelque proie. Des moutons et des chèvres disparurent. Ravis et terrifiés, tes neveux s'accroupissaient devant le feu en demandant qu'on leur racontât les aventures d'Ysengrin. Les hommes du village se mirent en chasse, firent des battues, tuèrent plusieurs fauves.

Le temps coulait sans hâte. Tu me manquais de cruelle façon. La bienveillance de ta famille ne masquait qu'imparfaitement mon destin de brebis égarée loin de son amour, de son pays, de sa demeure, de ses proches. Je ne savais rien de toi, rien de mon oncle. Je m'épuisais en imaginations. L'hiver avait achevé de rendre impraticables les chemins de ta Bretagne, et nul voyageur ne se hasardait plus jusqu'à nous. En filant ou en cousant les menus vêtements et le trousseau de mon enfant à naître, je rêvais inlassablement. Que faisais-tu? Que se passait-il à Paris? Quel était, depuis ma fuite, le comportement de Fulbert?

Les flocons de neige tissaient un voile impénétrable entre Le Pallet et le reste du monde. Parfois, je me réfugiais dans ma chambre pour lire ou étudier nos auteurs favoris, mais, en dépit de la boule pleine de tisons ardents que je portais suspendue au bras, le froid me délogeait bientôt.

En bas, dans la grande salle, je retrouvais l'odeur des fèves en train de cuire dans la marmite avec le lard, les cris des enfants, l'agitation des servantes et le sourire de Denise. Par délicatesse, ta sœur semblait toujours considérer que tout allait au mieux pour moi. Cependant, il m'arrivait de surprendre le regard chargé de sollicitude qu'elle dirigeait de mon côté quand elle me croyait occupée ailleurs.

Je m'alourdissais de jour en jour. La matrone du village, qui venait régulièrement tâter mon ventre et me poser des questions, jugeait que tout se passait normalement. Comme elle était un peu sorcière, elle me donnait à boire un breuvage fortifiant dans la composition duquel elle laissait entendre qu'entraient du malvoisie, des tranches de parricaut et quelques onces d'ambre gris. Je ne sais si cette boisson détenait tous les principes bienfaisants dont elle la parait, mais il est certain que je me portais gaillardement. Il m'arrivait d'étouffer dans la salle commune et d'éprouver le besoin de sortir, de changer d'air, de marcher. Je m'enveloppais alors dans l'épais manteau fourré de loutre que Denise m'avait offert pour m'aller promener dans la neige.

L'air sentait le gel, le vent me coupait le visage et mon haleine fumait devant moi. J'allais au village, ou dans le verger, ou sur le chemin de Clisson. Le Bocage hivernal m'enchantait par son aspect irréel. Il y avait dans ce site farouche enseveli sous un linceul blanc une pureté qui me rafraîchissait l'âme.

Les habitants de la région m'avaient adoptée. Après un temps de méfiance, ils s'étaient apprivoisés et acceptaient, parfois, de s'entretenir avec moi quand ils le pouvaient. A l'opposé des esprits raffinés et brillants que je fréquentais à Paris, ces paysans d'une autre race surent pourtant m'intéresser. En eux se mêlaient étroitement un mysticisme fervent et les survivances d'anciennes idolâtries païennes toujours tenaces. On disait que des druidesses officiaient encore dans la forêt de Brocéliande et dans certaines îles battues des vents. De toute évidence, ils ne souffraient pas de cette coexistence. Ils possédaient au plus haut point le sens du sacré et celui du mystère. C'est pour cela que je les ai aimés. Je me fis même quelques amis parmi eux. Plus près que nous de la nature, ils vivaient d'instinct et découvraient Dieu dans ses œuvres. Depuis lors, je me suis toujours opposée à ceux qui les traitaient de barbares.

Les jours passaient. En janvier, il gela si fort que la plus grosse pierre de la margelle de notre puits se fendit. Le froid s'était installé. On ne pouvait plus se coucher sans feu. Comme je ne dormais pas avec le reste de la famille dans la salle où la tiédeur stagnait, on m'allumait, chaque soir, une flambée dans ma chambre. Je m'endormais alors en humant l'odeur du feu de bois et en contemplant les lueurs mouvantes des flammes qui dansaient sur mon plafond.

Le dimanche des brandons, avant l'entrée en carême, ce fut le dégel. La pluie, une pluie grise, tenace, affreusement déprimante, se mit à tomber. Tout se transforma en boue. Sous peine d'enlisement, il fallait rester enfermé. Cette réclusion me fut pénible. Les heures me pesaient de plus en plus. Seule, la veillée où chacun s'évertuait à distraire le reste de la famille apportait un peu de mouvement à la monotonie des jours. Je revois le cercle attentif qui entourait celui qui contait. La tradition celtique est riche de légendes et ton beau-frère les connaissait toutes. Nous l'écoutions avec recueillement, pendant que les plus jeunes enfants, déjà couchés, passaient des têtes curieuses par les portes entrouvertes des lits clos.

Il faisait bon sous le manteau de la cheminée. Dehors, il pleuvait. Pendant que le père parlait, les fils taillaient d'étranges figures de bois dans des morceaux de châtaignier, les valets tressaient des paniers de jonc, les femmes filaient ou cousaient. Quand le conteur se sentait fatigué, on buvait du vin cuit à la cannelle et on mangeait des nèfles, des noix, ou du fromage rôti. La paix qui se dégageait de ces soirées était si profonde que j'avais l'impression de pouvoir la toucher en étendant les mains. Denise cessait, parfois, de tourner son rouet pour échanger avec son mari un regard de confiante gravité. Leur entente semblait sans fêlure, et, tout naturellement, le climat de la maison s'en ressentait.

Au début du mois de mars vint un vent d'est qui chassa la pluie. Les bienfaits du premier soleil m'inondèrent. Mon enfant bougeait en moi avec une vigueur accrue. Je le sentais remuer sous mes paumes quand je les appliquais sur mon giron. Alors, une allégresse nouvelle, par bouffées, me soulevait.

En même temps, je constatais mon propre changement. A travers la lente germination des mois d'hiver, en cette retraite où ma pensée tournait toujours autour des mêmes thèmes, mon âme avait mûri comme un fruit. Ton absence, notre éloignement, ma future maternité, et les responsabilités qui seraient miennes désormais avaient labouré mon cœur de fond en comble. Une fermeté moins intransigeante, mais plus profonde que mon assurance d'autrefois, m'habitait à présent. Je sentais que je serais en mesure de faire face aux épreuves qui ne pourraient manquer de m'échoir.

De tous les obstacles qu'il me faudrait franchir avec mon fardeau nouveau-né, le plus redoutable demeurait Fulbert. Je connaissais sa capacité de rancune, et je l'appréhendais. Non pour moi-même, mais pour celui que j'allais mettre au monde. Il me faudrait bien le lui amener un jour. Que se passerait-il, alors?

Tout en me retournant entre mes draps, j'imaginais la scène dont je savais que je sortirais victorieuse. Mon oncle fulminerait, mais je ne redoutais plus ses cris. Un grand calme intérieur s'était fait en mon cœur, depuis que j'avais découvert le petit nombre de choses qui importait vraiment. Mon tourment ne pouvait venir que de ta personne : le reste du monde ne détenait plus le pouvoir de me faire souffrir. De toi, j'attendais tout. Tout me ramenait à toi.

Contrairement à ce que j'avais craint lors de ton départ, ce n'était pas une douleur insupportable que je ressentais maintenant. Non. J'avais fini par m'installer dans l'attente. Comme la terre pendant la froidure, j'étais trop occupée à nourrir dans mon sein la semence que tu m'avais donnée pour dépenser mes forces en pleurs vains. Le temps de te retrouver n'était pas venu. Je vivais donc au ralenti. Mes peines, comme mes joies, demeuraient en veilleuse. D'elle-même, et à l'imitation de la saison, ma nature s'était mise en état d'hibernation pour rassembler ce qu'il y avait de meilleur en elle. Une sorte de sagesse ancestrale calmait les agitations de mes sentiments. Depuis que je t'aimais, vois-tu, c'étaient bien là les premiers moments où je ne me trouvais ni en transe ni en révolte. J'avais, d'instinct, organisé mon existence autour de l'enfant que je devais porter à terme, autour de nos souvenirs et de l'espoir que je cultivais intimement de te retrouver le plus vite possible, après ma délivrance.

Je n'étais pourtant pas transformée au point de ne pas souhaiter apprendre ce qu'il advenait de toi. Avec les bourgeons renaissait ma soif de participer à ta vie. Tout en admettant la nécessité de patienter, j'aurais aimé être informée de tes faits et gestes. Que faisais-tu? Qui voyais-tu? Quelles étaient tes préoccupations? Si loin de Paris, j'éprouvais une certaine difficulté à suivre ton emploi du temps. De cette impossibilité naissait un malaise.

C'est alors qu'un moine survint un jour au Pallet, porteur d'un message pour moi.

On était à la mi-mars. L'air se faisait plus doux, le soleil plus tiède, la brise plus innocente. Des pousses vertes pointaient aux branches du verger et les merles commençaient de siffler. Les primevères et les violettes fleurissaient entre les feuilles pourrissantes de l'année précédente, et les chats déchiraient la nuit de leurs cris amoureux.

Mon fardeau devenait pesant. Je marchais donc à pas ralentis autour du puits, tendant aux blonds rayons mon visage pâli par la réclusion de l'hiver et mes mains encore gercées, quand j'aperçus un froc qui franchissait le portail. Les chiens aboyèrent et s'élancèrent vers l'arrivant. Louis, qui passait par là, les appela. Le moine hésitait :

« On m'a assuré que logeait céans une dénommée Héloïse... »

C'était un bénédictin de Saint-Denis qui regagnait Nantes à pied. Tu lui avais confié une lettre pour moi. Je m'en emparai comme d'un trésor et montai la lire dans ma chambre. Pendant ce temps, le mari de Denise s'occupait de faire servir au messager une bouillie de blé noir et du chou cuit sans graisse, car on était en carême.

Ta missive disait combien le temps te pesait loin de moi. Tu parlais de tes nuits insomnieuses et des images qui te tourmentaient. Tu évoquais aussi ta charge, ton labeur, le succès jamais démenti de ton enseignement. Par ailleurs, tu faisais allusion, mais de façon sibylline, aux remords qui te travaillaient au sujet de mon oncle. Tu décrivais la compassion que t'inspirait la violence de sa douleur, et tu jugeais insoutenable la honte qui le tenait courbé sous son joug. « Il a terriblement vieilli depuis notre fuite, écrivais-tu. Je ne puis le croiser sans me répéter que c'est par notre faute que cet homme subit un semblable supplice. » Tu terminais en m'assurant de ta foi, et en me promettant, pour une date point trop lointaine, une heureuse issue à nos tribulations.

Je me rappelle que la lecture de ton message ne me satisfit pas entièrement. Qu'entendais-tu, au juste, par « une heureuse issue »? Je connaissais la facilité avec laquelle tu parvenais à t'aveugler toi-même, quand il s'agissait de réaliser un de tes désirs. Si ta subtilité et ta pénétration se montraient sans égales dans le monde des idées abstraites, tu ignorais, en revanche, les motifs simplement humains de tes semblables avec une telle candeur, tu manquais à tel point de sens pratique, que je te savais démuni devant la réalité autant qu'un petit enfant.

Que préparais-tu à Paris?

Je relus ta lettre des dizaines de fois pendant les jours qui suivirent le passage du moine, sans parvenir à deviner le sens de tes allusions.

Cependant, mon temps approchait. J'étais aussi ronde qu'une tour de guet, je souffrais des reins, et, chaque soir, mes jambes enflaient.

Le dimanche des Rameaux, les douleurs de l'enfantement me prirent au retour de la messe.

Je n'aime pas à me souvenir des heures qui suivirent. Il y eut beaucoup d'agitation dans ma chambre où Denise et la matrone, qu'on avait été querir aussitôt, étaient entourées d'une nuée de voisines. De peur qu'un mauvais esprit n'entrât pour s'emparer du jugement de l'enfantelet, on tenait la fenêtre étroitement fermée. Pour conjurer le sort, brûlait, près de ma couche, une poudre composée par la sage-femme avec des simples, de la racine d'armoise et des fleurs séchées d'herbe de la Saint-Jean. Selon la coutume du pays, je serrais dans ma main droite une tige de basilic et une plume d'hirondelle afin que ma délivrance fût rapide.

Au milieu de la pièce, on avait apporté un grand baquet de bois dont on renouvelait sans cesse l'eau chaude. La buée qui s'en échappait, envahissait tout. Je me souviens encore avec répugnance de la chaleur humide qui collait mes draps contre mon corps distendu, achevant de rendre pénible l'épreuve que je subissais. Jamais je n'aurais pensé qu'il fallût tant peiner pour donner le jour. Le rythme des douleurs se précipitait implacablement. Mon ventre déchiré, ouvert, dilaté de souffrance, n'était plus pour moi qu'un sujet d'horreur. Pourtant, je me refusais à crier comme le conseillaient celles qui m'entouraient.

Ce fut là sot orgueil. Je m'en accuse volontiers. La vie ne m'avait pas encore enseigné, à grands coups de nerf de bœuf, la simplicité, vertu sans éclat qui conduit à la plus difficile de toutes : l'humilité.

Au bout d'heures qui me parurent éternelles, j'accouchai d'un fils. J'en remerciai sans tarder la Vierge Marie et saint Martin que j'avais tant priés pour qu'il en soit ainsi. Hélas! je ne trouvais pas qu'il te ressemblât, et j'en éprouvais une grande amertume! Cependant, tout le monde se félicitait autour de moi, car l'enfant était fort et bien membré. Je décidai sur-le-champ de le nommer Pierre-Astralabe. N'était-il pas tombé dans ma vie comme un don du ciel?

Quand on le déposa, après l'avoir emmailloté, près de moi, sur un coussin, je ressentis un grand respect pour cet être neuf et si totalement pur. Mon fils! Je touchai du doigt son crâne doux comme un museau d'agneau et une tendresse triste m'envahit. Quel destin connaîtrait cet enfant sans père, ce bâtard, qui aurait, plus tard, le droit de me reprocher sa naissance?

Passionnément, je souhaitais ta présence à mon chevet, Pierre, en un tel moment. Au plus fort de ma douleur, je m'étais tue, mais, à présent, je me laissais aller à pleurer, alors que j'aurais dû ne songer qu'à la joie. Il en est ainsi de ma nature. Je ne redoute pas les vicissitudes auxquelles je puis faire face en luttant, front à front. Mais les craintes imprécises me déroutent et me laissent sans défense. Ce fut donc de mes larmes que mon fils reçut, en premier, le baptême.

Devant le prêtre, le lendemain, à l'église du Pallet, Denise devint la marraine de son neveu. Hors de ma présence, l'eau sainte coula sur la tête fragile de mon enfant.

Quand je songe, maintenant, mon fils, à ce que fut mon existence, je vois bien que je n'ai pas su t'aimer comme il l'aurait fallu. Comme tu étais en droit de t'y attendre. Vois-tu, en ce début de Semaine sainte où tu naquis, j'avais dix-huit ans, le cœur dévoré et aucune inclination pour la maternité. Rien ne m'avait préparée dans mon passé à jouer ce rôle. Ni mon éducation : fille érudite, uniquement tournée vers les études, je ne m'étais jamais intéressée aux enfants. Ni mon amour : femme éprise, folle d'un homme adoré, je m'étais livrée à lui sans réserver la moindre parcelle de mon être, ou de mon âme. Celui que j'aimais m'occupait tout entière.

Pendant l'hiver que je venais de vivre, j'avais bien assisté à des manifestations d'amour maternel. Denise était mère autant qu'on peut l'être. Aussi avais-je cru, à son contact, que s'éveillait en moi cette tendresse très douce, qui, par instants, l'illuminait. C'était compter sans la souveraineté de ma passion.

Je ne prétends pas que je ne t'ai pas aimé : ce serait monstrueux. Mais, recherchant en toi le reflet, la réplique de ton père, je t'ai mal et insuffisamment aimé.

M'as-tu pardonné? Toi dont la vie est consacrée à Dieu, as-tu pu absoudre ta mère du manque de soin dont, sans doute, a souffert ta jeunesse?

16 MAI 1164

Avant que la cloche des exercices n'ait sonné vigiles, les moniales, demeurées depuis complies dans l'oratoire, avaient déjà récité les sept psaumes de la Pénitence. Avec une ferveur accrue, elles entonnèrent alors les chants liturgiques de l'office de nuit. La vénération qu'elles vouaient à leur mère, décuplait leur ardeur. Hors de l'édifice consacré, au-delà de l'enceinte du Paraclet, leurs voix exaltées s'élevaient à travers la nuit de mai, portant l'harmonie sainte vers les prés, les bois, les champs labourés où le blé commençait à sortir du sol, et les oreilles attentives de ceux qui ne dormaient pas.

Il y avait comme une angoisse dans l'air. Pourtant, tout était calme. La lumière du croissant de lune bleuissait l'eau de la rivière, les pierres du chemin, les murs du monastère et la porte cloutée de fer à laquelle venaient de se présenter, en dépit de l'heure indue, deux prêtres vêtus de chapes noires à capuchon. L'un des deux semblait un vieillard, l'autre, un homme en pleine maturité.

La sœur portière les dévisageait soucieusement, par le judas du portail, sans se décider à ouvrir.

« Pourquoi donc êtes-vous venus si tard ? demanda-t-elle au bout d'un moment, les sourcils froncés.

– Nous avons appris, alors que nous étions non loin d'ici, que votre mère abbesse était au plus mal, répondit le plus âgé des deux en guise d'explication. Sa réputation de vertu est si grande qu'il nous a fallu nous rendre auprès d'elle aussitôt.

– Il est vrai qu'elle est bien malade.

– Est-elle vraiment perdue?

– C'est au Seigneur seul de décider.

– Qu'Il vous assiste, ma sœur! Pourriez-vous avoir la bonté de faire dire à votre prieure que deux humbles prêtres demandent à être reçus par elle? »

La portière secoua la tête.

« Je ne puis la déranger, répliqua-t-elle sévèrement. Madame la prieure se trouve présentement au chevet de notre révérendissime mère. »

Le plus jeune des deux prêtres, qui n'avait encore rien dit, rompit alors le silence.

« Il se pourrait, cependant, que votre mère prieure acceptât de venir nous parler, dit-il sans élever la voix.

– J'en doute fort. »

Le ton était assez peu encourageant.

« Vous lui direz que le fils d'Héloïse désirerait l'entretenir », continua le prêtre avec douceur.

Tout en s'exprimant de la sorte, il repoussa en arrière son capuchon. La clarté lunaire éclaira alors des traits fermes, un visage bien dessiné, aux pommettes hautes, et des yeux clairs dont l'expression était à la fois calme et résolue. La ressemblance avec le masque de la mourante était saisissante.

« Seigneur! s'exclama la sœur portière en joignant les mains, Seigneur! Que me faut-il faire?

– Nous laisser pénétrer, et aller querir la mère prieure. »

Ce fut dans la grande salle de la maison des hôtes que la portière les fit entrer. Sous les hautes voûtes des tables étaient alignées. Des bancs de bois, où dormaient des errants enveloppés dans des couvertures de tiretaine, s'adossaient aux murs.

« Je vais avertir de votre présence la mère Agnès. »

Peu de temps après, le bruit de jupes et de chapelet se fit entendre de nouveau.

« Veuillez me suivre au parloir. »

Héloïse, qui tenait avant tout à sauvegarder la chasteté morale et physique de sa communauté, avait voulu qu'on élevât des grilles entre les visiteurs et les religieuses qui les recevaient. On commençait à suivre son exemple un peu partout en France.

La prieure attendait donc les prêtres derrière de solides barreaux de fer. Elle les salua avec une émotion qu'elle ne cherchait pas à dissimuler.

« Comme il y a longtemps, mon père, que je ne vous ai vu », dit-elle avec un sourire mélancolique dédié au temps déjà lointain où elle vivait, au Pallet, dans une familiarité enfantine avec son cousin.

Pierre-Astralabe inclina le front.

« Pas depuis votre prise de voile, Agnès, voici près de vingt-cinq ans. »

Il y eut un silence. Tous deux avaient choisi Dieu. Aucun ne le regrettait. Il est, cependant, des pièges du souvenir dont il faut se garder. Une certaine nostalgie peut être contraire à la santé d'une âme croyante.

Le prêtre reprit l'entretien :

« Alors que je me trouvais de passage à Provins, j'ai appris fortuitement la maladie de ma mère, dit-il en changeant de ton. Le frère lai qui apportait la nouvelle ne cachait pas la gravité de son état. J'ai donc décidé de venir la saluer une dernière fois, puisque la Providence m'en donnait l'occasion. »

Une gravité, qui devait lui être coutumière, ombrait son regard.

« Pourrais-je la voir ? »

La prieure réfléchissait.

« Vous connaissez aussi bien que moi les prescriptions de notre règle : personne ne doit pénétrer dans les parties privées du monastère, sauf les clercs pour le service des autels, et les ouvriers qui ont à effectuer des réparations indispensables. Cependant, en de telles circonstances, je prends sur moi une dérogation dont on ne saurait me blâmer. Je ne pense pas agir contre l'esprit de notre ordre en vous laissant accomplir un pieux devoir filial. »

Le prêtre approuva en silence.

« Mon compagnon, le père Thomas, abbé de Saint-

Ayoul, qui a connu autrefois maître Abélard, pourrait-il, lui aussi, venir prier?...

— Cela est impossible! J'en suis désolée, croyez-le bien, mon père, mais votre présence sera déjà une infraction suffisante à nos statuts pour que je ne l'aggrave pas davantage. »

De l'émotion fugace qui l'avait remuée un moment plus tôt, il ne subsistait rien. Elle ne faisait plus qu'un avec sa charge.

Laissant le vieillard en prière dans le parloir, la mère Agnès, suivie de Pierre-Astralabe, traversa le cloître. La nuit était sereine, à présent. Une odeur de pluie flottait encore entre les buis de l'étroit jardin, mais le ciel embrasé d'étoiles scintillait au-dessus des toits. Parvenue devant la porte de l'infirmerie, la prieure se retourna.

« Sachez que votre mère n'a pas prononcé une parole depuis qu'elle a reçu l'extrême-onction, après sexte. Non pas qu'elle soit dans le coma, mais elle reste plongée dans une sorte de méditation intérieure dont rien ne semble pouvoir la distraire.

— Est-elle perdue?

— A moins d'un miracle, je crains que oui. La vie se détache d'elle sans qu'elle fasse rien pour la retenir. »

Le prêtre hésita un instant.

« Pensez-vous, Agnès, que ma vue puisse lui faire le moindre mal?

— Non. Pourquoi? J'inclinerais plutôt à croire que votre présence lui sera douce. N'êtes-vous pas l'unique lien charnel qu'elle ait encore avec le monde?

— Hélas! Nous nous voyons si peu.

— Sans doute ne sera-t-elle que plus heureuse de cette ultime chance qui va lui être donnée de vous bénir, avant de s'en aller. »

On entendait, apporté par la brise, le chant des moniales qui emplissait l'espace.

« Allons! Je suis prêt. »

La mère prieure poussa la porte et s'effaça. Pierre-Astralabe s'avança vers le lit où Héloïse agonisait.

« J'ALLAIS aussitôt en Bretagne, afin d'en ramener mon amante et d'en faire ma femme », as-tu écrit, Pierre, dans ta lettre. Jamais action plus simple n'engendra d'aussi fatales conséquences!

Pourtant, je m'en souviens, tout commença dans la grâce du renouveau, comme pour la fête des calendes de mai.

On venait de célébrer mes relevailles à l'église du village quand tu revins parmi nous.

L'unique printemps breton que j'aie jamais connu demeure radieux dans ma mémoire. Le verger n'était que foisonnement de feuilles fraîches, d'herbe drue, de pétales. Les poiriers et les pommiers en fleur éblouissaient le regard. L'air embaumait la sève, le miel, les ajoncs. Des touffes de narcisses poussant au bord de l'eau faisaient parvenir jusqu'à moi des bouffées si odorantes qu'on songeait au passage invisible de quelque magicienne.

Assise à l'ombre d'un amandier, je chantais en sourdine pour endormir mon fils dans son berceau. Engourdie par les senteurs, par le bourdonnement des abeilles et par ma propre mélopée, je laissais se fermer mes paupières, tandis qu'un rayon de soleil se faufilait entre les branches pour me chauffer la nuque.

Soudain, des bruits de pas me tirèrent de ma somnolence. J'ouvris les yeux. Tu te dressais devant moi. Debout dans la tendre lumière, tu tenais par la main la petite Agathe qui t'avait conduit jusqu'à moi.

« Pierre! »

Tout recommençait. Emportée par un élan que je croyais avoir désappris pendant ce long hiver, je me jetai dans tes bras. L'amour me possédait de nouveau.

Au bout d'un certain temps, nous nous penchâmes, tout en nous tenant par la taille, au-dessus de la nacelle où dormait notre fils.

« Il te ressemble, Héloïse! »

Tu paraissais heureux de le constater. Je te cachai donc ma propre déception.

« Denise assure qu'il est fort pour son âge. »

Je crois bien que nous étions aussi décontenancés l'un que l'autre devant cette créature née de nous, qui nous intimidait. Nos études pas plus que nos amours ne nous avaient préparés à tenir ce rôle de parents où nous nous sentions si mal à l'aise. Loin de toi, j'avais pu penser que je deviendrais presque une véritable mère. En ta présence, il m'apparaissait que j'étais ta maîtresse avant tout, que seule, ta personne m'importait. Tel était ton pouvoir. Près de toi, je ne me sentais capable de m'intéresser à aucun autre être, fût-il mon fils.

Seigneur, voici certainement une des fautes les plus secrètes, et, sans doute, la plus grave, dont je doive m'accuser : prise comme je l'étais par l'amour d'un homme, j'ai accepté de ne livrer à mon enfant que le rebut de mon cœur, que la part infime que mon amant n'occupait pas. Mais ne l'occupait-il pas tout entier?

Cette carence a, peut-être, pesé plus lourd contre nous, dans Votre balance, Seigneur, que tout le reste. Je n'ai pas su aimer mon fils quand il avait besoin de ma tendresse, je l'ai délibérément sevré de l'affection à laquelle il avait droit. N'est-il pas juste que vous m'ayez châtiée en me séparant, par la suite, de celui que je lui avais préféré? C'est à ce moment-là, dans le verger candide, que tout s'est joué, puisque Pierre me parla sans plus attendre du projet de mariage qui l'amenait vers moi. O Seigneur! en ce même jour, je mesurai mon indifférence à l'égard de mon fils et le gouffre vers lequel nous entraînait la folie de son père! Tout cela n'est-il pas clair? N'y a-t-il pas là beaucoup plus qu'une coïncidence?

Si longtemps après, faut-il donc que je sois enfin éclairée? Aux portes de la mort, faut-il, malgré tant de cris et de révoltes, que je comprenne le sens de mon épreuve? Je me débattais contre une sentence dont je ne discernais pas la cause : je la vois à présent!

Ainsi donc, en cette éclatante journée de printemps, j'ai décidé d'un cœur enivré que seul Pierre importait, alors que, dans le même temps, nous prenions une résolution qui contenait tous les germes de nos malheurs...

En effet, tu m'exposas aussitôt, avec ton impatience coutumière, les raisons de ton brusque retour. Tu avais décidé qu'il nous fallait marier.

Assis l'un près de l'autre dans l'herbe, nous nous tenions enlacés. Je t'écoutais parler.

« J'ai d'abord évité ton oncle, disais-tu. Son désespoir le rendait comme fou. Il prononçait contre moi des menaces insensées, mais demeurait beaucoup plus réservé à ton égard. Il est certain, vois-tu, que cet homme sans finesse demeure convaincu de ton innocence. Il me prend pour un suborneur éhonté qui s'est diverti à te séduire, avant de t'enlever, et dont on doit tout craindre. Il désire me tuer, me torturer, m'anéantir, que sais-je? Cependant, croyant ma famille capable de te faire subir des représailles tant que tu te trouves en son pouvoir, dans le cas où il m'arriverait malheur, il parvient à se contenir. En outre, il n'est pas sans savoir qu'il n'est point facile de tirer vengeance d'un homme aussi important et aussi célèbre que moi. Je reste néanmoins persuadé qu'il est capable de tout oser, de tout tenter, pour assouvir sa haine. Aussi, durant l'hiver, n'ai-je cessé de me tenir sur mes gardes.

– Pour toi aussi, Pierre, ces mois furent donc longs?

– Eternels! »

Tes mains couraient sur moi. Je me souviens que tu jouais avec mes tresses tout en me caressant.

« L'excès de l'affliction que montrait ton oncle, repris-tu, me toucha, à la longue. Je m'accusais de lui avoir volé par amour sa nièce tendrement aimée. N'était-ce point là trahison? J'allai enfin le trouver. Durant une entrevue que je préfère ne pas te relater, car elle fut cruelle à mon amour-propre, je lui promis toutes les réparations qu'il lui plairait d'exiger. Toutes. Pour mieux l'apaiser, j'en vins donc à lui offrir une satisfaction qui dépassait de loin ce qu'il pouvait espérer : je lui offris de t'épouser, à la seule condition que ce mariage fût tenu secret, afin de ne pas nuire à ma réputation.

– Hélas! Pierre, qu'as-tu fait?

– Mon devoir. Fulbert accepta, m'engagea sa parole, et m'embrassa pour sceller notre réconciliation. »

Accablée, je baissais la tête. Une femme ordinaire, une femme dont la passion eût été moins absolue et le désintéressement moins total, aurait pu se réjouir d'une telle proposition. Pour moi, j'en vis dès l'abord le sombre côté.

« Qu'as-tu? N'es-tu point heureuse? »

Tu me dévisageais avec surprise. Parviendrais-je jamais à te dissuader d'un projet si funeste, si contraire à ta gloire? Comment ne voyais-tu pas toi-même l'erreur irréparable que tu t'apprêtais à commettre?

« Pierre, dis-je, la gorge serrée, Pierre, cette chimère est pure folie! »

Je me sentais aussi lucide qu'on peut l'être et je tentais de t'ouvrir les yeux. Aucune satisfaction ne viendrait jamais à bout du courroux de mon oncle. Je le savais. Je te le dis. Blessé dans sa vanité, il ne pardonnerait pas.

« La magnanimité est le propre des natures fortes, Pierre, ajoutai-je, et Fulbert est faible. Il est capable d'accumuler en secret d'inépuisables réserves de rancune dans l'espoir du moment où elles seront utilisables. Il attend son heure, vois-tu, et sa cruauté s'aiguise au fil des jours. Je le crois capable de jouer à la perfection le pardon des offenses, mais il ne le pratiquera jamais! Si tu me ramènes à Paris, je retomberai en son pouvoir et c'en sera fait de nous! Je le connais mieux que toi. Crois-moi : si je quitte mon refuge du Pallet, nous sommes perdus. Mon oncle tirera à son heure la vengeance éclatante qu'il espère de toi. Rentrer ensemble, c'est nous mettre à sa merci!

– Nous n'aurons plus rien à craindre, puisque nous serons mariés.

– Mais nous n'aurons pas l'air de l'être, puisque notre union doit rester secrète! En bonne logique, il me faudra vivre sous le toit de mon oncle, si nous ne voulons pas attirer l'attention. Tu en seras réduit à venir me visiter en cachette. Tout recommencera comme avant notre fuite. »

Desserrant ton étreinte, je m'écartai un peu de toi.

« Réfléchis, Pierre, à ce que cette situation aura d'insupportable, à ce qu'elle a d'irréalisable. C'est pour calmer la fureur de Fulbert que tu lui as proposé de devenir mon époux, n'est-ce pas? Or, d'où lui venait cette hargne? Du déshonneur auquel notre liaison, notre fuite, ma maternité enfin avaient exposé la famille. Bon. En quoi un mariage ignoré de tous lui rendra-t-il cette honorabilité à laquelle il tient tant? En rien. Ce ne peut être que dans la mesure où la chose sera sue qu'elle sera réparatrice. Mon oncle se verra donc devant l'alternative suivante : ou ébruiter l'événement afin d'en récolter les fruits, ou le taire et rester déconsidéré. Tel que je le connais, il n'hésitera pas un instant. Nous aurons donc perdu sur tous les fronts à la fois. Je retomberai de nouveau sous sa coupe et chacun saura que tu m'as aliéné ta liberté.

– Fulbert m'a donné sa parole », affirmas-tu d'un air entêté.

Ton inconscience me stupéfiait. Au long des mois que tu avais passés chez lui, tu avais pourtant eu le loisir de juger le personnage. L'avais-tu si mal observé?

Pour ne pas te heurter, et, cependant, parvenir à te

convaincre si je le pouvais, je passai à un autre ordre d'argumentation, plus capable de t'atteindre, me semblait-il.

« Il est quelque chose de plus grave que cette menace suspendue au-dessus de nos têtes, repris-je sans me décourager. C'est le discrédit auquel, en m'épousant, tu vas t'exposer. Tu es clerc et chanoine, Pierre, ne l'oublie pas! Je partage, tu le sais, la noble idée que tu te fais de ta charge. En te mariant, tu dérogerais! Ta grandeur est liée au célibat. Si, de nos jours, le mariage d'un clerc est encore admis, tout le monde sait pourtant qu'il y a là déchéance et avilissement. Notre idéal chrétien n'est pas compatible avec ce genre de compromission. Etant ta maîtresse, je te lie beaucoup moins. Tu es libre de disposer de toi, de me quitter quand tu le jugeras bon, de t'éloigner momentanément si tes travaux l'exigent. Tu conserves ton indépendance, ton intégrité. Ecoute-moi, Pierre, ne te charge pas de chaînes qui entraveront ta marche triomphante vers les cimes. Ne consomme pas, toi-même, ton propre sacrifice. Ne m'impose pas la honte d'être ta complice. Je t'aime trop pour me pardonner jamais, si j'avais la noirceur d'accepter ta proposition, ta chute inévitable. »

Tu m'interrompis avec emportement.

« Que m'importe l'opinion d'autrui! Je te veux à moi. Je ne puis supporter l'idée d'être séparé de toi davantage. Comme il ne saurait être question de te ramener à Paris pour y renouer des relations illégitimes sans exciter le ressentiment de Fulbert, il me faut t'épouser! »

J'entends encore ta voix assourdie, je revois ton regard lourd de désir, je sens sur mon bras le tremblement de ta main. C'est à ce moment-là, vois-tu, Pierre, que je compris combien ton amour était charnel, combien tes sens l'emportaient, dans ta passion pour moi, sur tout autre sentiment. J'en souffris en silence. L'adoration que je te vouais, dépassait mon corps, si elle l'asservissait. Elle embrasait mon âme et me faisait préférer ton bien à mon bonheur.

De mon seul point de vue, en effet, ce projet de mariage pouvait paraître séduisant. Unis l'un à l'autre par un sacrement, tu m'appartiendrais autant que je t'appartiendrais. La tentation aurait pu être grande. Mais je ne voulais pas de joug pour toi. Je te respectais et t'admirais trop pour t'imposer un mode de vie qui te ravalerait au rang du premier manant venu. A mes yeux, tu étais un maître, un exemple, un idéal. On ne ligote pas un idéal à la vie domestique!

« Songe, Pierre, songe aux entraves qu'une épouse apporterait à tes études, repris-je avec feu. Tu es le maître suprême des Ecoles de Paris! Te vois-tu, alors que la philosophie t'occuperait, dérangé par les cris ou les malpropretés d'un enfant, par les berceuses de sa nourrice, par le va-et-vient des serviteurs et des servantes, par les tracas d'une maison? Quel rapport peut-il y avoir entre ton œuvre et les soins d'un ménage, entre ton pupitre et ce berceau, entre tes livres et la quenouille que je filerais? Sans doute, les gens riches peuvent allier des activités si contraires. Ils ont, dans leurs palais, des appartements réservés, et l'opulence simplifie tout. La condition d'un philosophe, tu le sais, n'est pas celle des riches. Elle te condamnerait à l'enfer des soucis d'argent et te ferait perdre ton temps en besognes. »

Ainsi que la Pythie de Delphes, je me sentais agitée par un don de prémonition.

« Marié, tu serais submergé par les ennuis quotidiens, donc perdu pour tes études. Ton prestige en serait diminué d'autant. Quel préjudice pour tous les étudiants qui attendent de ta part un message, une doctrine philosophique, un mode de pensée! repris-je sans te laisser le temps de m'interrompre. Quelle responsabilité pour moi! Que de reproches m'accableraient! Non, Pierre, non, je n'ai pas le droit de t'asservir de la sorte. Ton esprit exceptionnel doit pouvoir disposer librement de lui-même. Ce siècle attend de toi une nouvelle direction spirituelle : ce serait faillir que d'y manquer! »

Pour donner plus de poids à mes affirmations, je citai saint Jérôme, saint Paul, Sénèque, tous les grands esprits qui, tour à tour, au cours des siècles, avaient condamné le mariage comme incompatible avec l'austérité et la pureté de mœurs d'un savant.

« Si tu ne veux pas tenir compte de tes devoirs de clerc, envisage au moins la dignité, l'éclat de ton renom de philosophe! m'écriai-je encore avec désespoir. Est-il un roi, un sage, dont la renommée puisse être égalée à la tienne? Quelle contrée, quelle cité, quel village n'est agité du désir de te voir? Quelle femme, quelle fille ne brûle pour toi en ton absence et ne s'enfièvre à ta vue? Oublies-tu l'immense célébrité dont tu jouis de par le monde? Ne sais-tu pas qu'en m'aliénant ta personne tu te ravales au rang de mari ordinaire et que ce culte, qu'on te voue, en souffrira? Tu es une idole, Pierre, une idole de ce temps! Ne déçois pas tes adorateurs en descendant du pinacle où ils t'ont hissé pour te vautrer devant leurs yeux effarés dans les vulgarités de simples noces! »

Dans mon esprit enfiévré, les idées se bousculaient. Le désir de te convaincre précipitait ma voix.

« As-tu également considéré qu'il te faudrait te démettre de ton canonicat si tu ne voulais pas te trouver, de par notre mariage, dans une situation ecclésiastique irrégulière! Quel exemple déplorable! Venant d'un maître aussi vénéré, une telle démission serait, à juste titre, considérée comme la pire des trahisons! »

Pendant que je parlais en m'arrachant les mots du cœur, tu jouais avec le poignard qui pendait à ta ceinture. Changeant encore une fois de méthode, je me mis à te dépeindre mes sentiments.

« Sache donc, Pierre, que je préfère l'amour au mariage, et la liberté à une chaîne! proclamai-je en me levant d'un bond, afin de me tenir debout devant toi. J'en prends Dieu à témoin, Auguste, le maître du monde, m'eût-il jugée digne de l'honneur de son alliance et à jamais assuré l'empire de l'univers, le nom de ta concubine me paraîtrait plus doux et plus noble que le nom d'impératrice avec lui! Je veux te conserver par le charme de la tendresse et non t'attacher par des liens impossibles à rompre. Je n'ai jamais cherché en toi que toi-même. Je ne veux rien de plus. Il m'est doux de ne te devoir qu'à ton bon plaisir et non à un serment! »

Je ne me contenais plus. Mon ardeur, retenue pendant tant de mois, éclatait avec une force torrentielle. Mon amour changeait de dimension. Il s'oubliait lui-même en faveur du bien-aimé. Par une humilité amoureuse dont je goûtais l'amertume et la suavité à la fois, je renonçais de mon plein gré à des joies banales pour me consacrer sans restriction à ta gloire. Demeurer ta maîtresse, sans bruit, dans l'ombre, me paraissait plus juste, moins prétentieux, et bien préférable à cette union trop voyante qui ressemblerait à un défi.

« Si je ne t'épouse pas, je me verrai donc obligé de te laisser ici. Quitte à venir te voir quand j'en aurai le temps? »

Tu détournais la tête en parlant de la sorte. Je compris que je t'avais touché et que tu admettais la justesse de mes arguments.

« Nos séparations momentanées rendront nos rapprochements d'autant plus doux qu'ils seront plus rares, dis-je en te tendant les mains. Ne sais-tu pas que l'habitude use l'amour et que la vie quotidienne lui est toujours fatale? »

Tout en te souriant d'un air de connivence, je t'examinais avec inquiétude. Ma véhémence t'avait-elle persuadé du bien-fondé de mon refus? Ma dernière manœuvre de séduction te tenterait-elle?

Tu te levas avec lenteur, comme un homme qui pèse le pour et le contre. Ensuite, face à face, sous les branches fleuries de l'amandier, nous nous contemplâmes en silence. Brusquement, tu fis un pas en avant, et tu m'attiras contre ta poitrine. Le visage que tu inclinas alors vers le mien était celui du désir. Je sus que j'avais perdu.

« Je t'épouse et je t'emmène, grondas-tu en me serrant à me briser entre tes bras. J'ai tant envie de toi que je crois en devenir fou! Que m'importe le danger, le scandale, les éclaboussures et tous tes beaux raisonnements? C'est de toi, dans mon lit, que j'ai besoin! Tout le reste m'est égal. »

En dépit du ton passionné de tes paroles, j'éclatai en sanglots en les entendant. Mes nerfs, tendus à l'extrême, craquèrent tout d'un coup. L'acharnement que tu apportais à détruire le fragile équilibre de notre bonheur me confondait.

« Nous marier est la seule chose qui nous reste à faire si nous voulons achever de nous perdre tous les deux, et nous préparer une souffrance égale à notre amour! » m'écriai-je au milieu de mes larmes.

Cependant, je cessai de m'insurger contre ta volonté. Tu étais le maître. Puisque tu en avais décidé ainsi, je ne pouvais qu'obéir. L'idée de te causer, par mon opposition, une peine quelconque ne m'était pas supportable. Du jour où je t'ai aimé, je me suis fixé une règle absolue : faire ce que tu souhaitais, toujours, à quelque prix que ce soit. Je ne m'y suis jamais dérobée. Je n'ai même pas eu à m'y astreindre. Vois-tu, Pierre, j'ai de l'amour une conception si haute qu'il me semble que ce n'est rien accorder que de ne pas tout donner. Tout. Y compris son propre jugement. Y compris le respect de soi-même, et sa réputation.

Je pressentis aussitôt, en effet, combien cette union me déconsidérerait aux yeux de tous. En t'épousant, je paraîtrais céder à un calcul assez bas. Je serais jugée par le monde comme une intrigante remplie de duplicité. A qui donc, dirait-on, profitait cet hymen scandaleux? A Héloïse! A moi qui le repoussais de toutes mes forces. J'étais prête, mon cher amour, tu le sais, à sacrifier mon avenir au rayonnement de ta gloire. Voilà qu'en plus tu réclamais aussi l'immolation de ma renommée personnelle. C'était toi qui exigeais ces épousailles, j'aurais pourtant l'air d'en être l'instigatrice. Il me paraissait fort injuste qu'on me rendît responsable de ton avilissement, alors que je m'employais par tous les moyens à t'en détourner. Ma passion, c'est-à-dire ma raison d'être, allait se voir publiquement déshonorée.

Puisque nous ne pouvions faire autrement, j'avais accepté l'éventualité d'une existence marquée par le péché, au risque d'y perdre mon âme. Mais je conservais une fierté : celle du désintéressement absolu de mon amour. J'allais jusqu'à penser en secret que toute ma justification tenait, justement, dans cette abnégation. Je désirais donc par-dessus tout qu'on considérât mes sentiments avec respect. Il me fallait les garder intacts de toute souillure. Ce mariage ruinerait mes espérances. On ne manquerait pas d'insinuer que je m'étais laissé séduire par le plus illustre de nos maîtres afin de pouvoir l'épouser.

Tant que j'étais ta maîtresse, tu pouvais te ressaisir, reprendre le cours de ta vie là où notre rencontre l'avait interrompu, redevenir le philosophe fameux qui se détournait des choses de la chair, et personne ne pouvait me soupçonner de rouerie. Devenue ta femme, on m'accuserait de manœuvres tortueuses et d'avoir vendu ce que je ne songeais qu'à donner!

Après avoir, vainement, tenté de t'ouvrir les yeux, après avoir échoué, il ne me restait plus qu'à accepter les conséquences de ton aveuglement. Dieu sait, pourtant, que j'en apercevais les dangers!

De toutes les fautes dont je me suis si souvent accusée depuis en confession, celle qui m'est la plus lourde, la plus pesante à porter, est bien cette capitulation. En acceptant de t'épouser, j'ai commis ce que j'appelle un crime. N'est-ce pas, en effet, des suites de cette union que naquit notre malheur? Le drame qui devait nous séparer à jamais, prit racine dans le consentement que tu m'arrachas ce jour-là, sous les branches du verger de Denise. Une fois de plus, le démon se servit d'une femme pour perdre l'homme, et ce fut moi l'instrument de sa ruse!

Tu m'aimais trop possessivement pour accepter l'unique voie vraiment satisfaisante qui nous était ouverte : vivre dans la continence, nous aimer par le cœur et non par le corps. Là, en définitive, je l'ai vu depuis, était la solution. Une grande passion chaste nous eût sublimés et sauvés. Il est vrai que notre attirance était trop sensuelle pour s'accommoder d'un tel renoncement. Aux amants éperdus que nous étions, la perspective d'une existence sans étreintes n'était pas imaginable. Tu n'acceptais même plus de me voir éloignée de toi. Il te fallait m'avoir tout de suite et pour toujours à tes côtés.

Piège j'étais devenue. Malgré mes avertissements, tu y tombas et nous fûmes perdus!

Que je suis infortunée, Seigneur, d'être responsable d'un tel désastre! Vous savez bien, pourtant, que je n'ai jamais voulu le malheur de Pierre, et que j'aurais joyeusement donné ma vie pour son bonheur et sa célébrité!

Puisque tu m'as enseigné, mon bien-aimé, que l'intention seule comptait, je suis innocente. Coupable dans mes actes, hélas! mais innocente dans mon cœur. Je n'ai pas voulu ces noces! Un instinct très sûr m'avertissait qu'elles nous conduiraient à la catastrophe. Je m'y suis opposée autant que je l'ai pu sans te heurter. Reconnais, je t'en prie, que, si tu es parvenu à m'imposer ta décision, je n'y ai pas librement consenti.

Cependant, j'avais espéré te faire partager ma répugnance. J'avais échoué. Il ne me restait plus qu'à agir ainsi que tu l'ordonnais.

Nous résolûmes donc de quitter Le Pallet deux jours plus tard, et de rentrer le plus discrètement possible à Paris.

La conséquence immédiate de cette détermination fut de me séparer de notre fils. Il me fallait laisser en Bretagne cet enfant dont l'existence chez mon oncle n'était pas concevable. Ce fut pour moi une grande affliction. Je sentais que c'était là le premier dommage d'une liste qui serait longue. En nous engageant sur le chemin que tu entendais nous faire suivre, nous nous condamnions, je le savais, aux complications de toutes sortes.

Je n'ai sans doute pas choyé mon fils autant que je l'aurais dû. Ce fut pourtant cruel de m'en séparer si vite. Je ne doutais pas de la compétence et de la tendresse de ta sœur, qui s'en occuperait comme s'il était à elle. Je connaissais la nourrice choisie, qui se trouvait être, de toute évidence, une bonne et brave femme, mais cet enfant qui était mien, je ne le verrais plus!

Au matin du départ, quand je le déposai pour la dernière fois dans son berceau, je me sentis prise de faiblesse. Le charme innocent de ce petit être, que j'abandonnais derrière moi sans savoir si je pourrais jamais revenir le chercher, me tenait penchée au-dessus de lui comme si une puissance sans pitié m'avait courbée sous sa poigne. Il fallut m'entraîner de force loin de lui.

Après des adieux pleins d'émotion à la famille généreuse qui m'avait si affectueusement accueillie, après un dernier regard à la façade de pierres que le soleil levant teignait d'or rose, après un ultime salut au puits de la cour et aux arbres du verger, j'embrassai Denise comme si elle eût été ma mère, et je m'éloignai.

Tout un pan de ma vie basculait dans le passé. L'ère de l'ingénuité était achevée. Celle des responsabilités commençait.

Notre voyage se passa bien. Il faisait beau. Les haies d'épines blanches étaient fleuries tout au long des sentiers, et les blés verdoyaient dans les champs. Beaucoup plus légère qu'à l'aller, je chevauchais aussi avec plus d'endurance. Nous ne fîmes pas de mauvaises rencontres. Etait-ce Dieu ou Satan qui éloigna de notre route les brigands et les rançonneurs? Je me le suis souvent demandé. Je n'ai jamais osé donner la réponse.

En dépit de notre solitude amoureuse, des attraits du mois de mai, de la passion que tu ne cessais de me témoigner et que je ne pouvais m'empêcher de te rendre avec emportement, une angoisse inavouée me taraudait. Quel destin nous attendait à Paris?

Lorsque nous arrivâmes en vue des toits de la cité, mon cœur se serra. Notre escapade était finie. Le devoir se refermait sur nous.

Le bruit et le mouvement de la ville, qu'il nous fallut traverser, m'étourdirent sans m'alléger pour autant de mes amers pressentiments.

Dans la salle de sa maison, que je trouvai plus sombre qu'à l'ordinaire, Fulbert me reçut avec un mélange de compassion et de froideur qui me glaça. Il avait, c'était vrai, beaucoup vieilli et ressemblait de plus en plus à un chêne foudroyé. Il m'annonça que ma chambre m'attendait, que Sibyle serait de nouveau attachée à mon service, et que la cérémonie du mariage était fixée à la huitaine. De mon fils, pas un mot. Ce bâtard causait sans doute trop de honte à mon tuteur pour qu'il acceptât d'en faire mention.

Les sentiments qui m'agitèrent quand je me retrouvai, un peu plus tard, entre les murs où j'avais passé ma jeunesse étaient des plus tumultueux. Une sorte de vide entre mes bras, et l'impression d'avoir laissé une part de moi-même en Bretagne; la remontée de nos souvenirs amoureux; un malaise dû à l'effort de réadaptation qu'il me fallait fournir pour vivre de nouveau dans cette pièce que j'avais cru quitter pour toujours; la nostalgie de ta présence et l'amertume de t'avoir vu partir à peine arrivé pour retourner chez toi; la crainte des agissements de mon oncle, mêlée à la peur imprécise de ce qui nous attendait, toutes ces impressions me bouleversaient.

Je marchais nerveusement du lit à la fenêtre, considérant avec gêne les meubles pourtant familiers et le jardin clos qui descendait mollement vers la Seine dans un entrelacs de pommiers en fleur et d'aubépins roses. Ce cadre, où rien n'avait changé, accentuait mon malaise. Debout devant ma croisée, face au ciel crépusculaire que des martinets cisaillaient en piaillant, je me laissai enfin aller à pleurer. Ce fut dans cet état misérable que Sibyle me découvrit. Elle mit sur le compte de l'émotion ces larmes que je n'essuyai pas et se lança aussitôt en mille bavardages pour m'aider à chasser un moment de désarroi.

Je dormis mal, cette nuit-là. Des cauchemars hideux ne cessèrent de m'importuner.

Les jours suivants, je me préparai, malgré que j'en eusse, aux noces qui allaient faire de moi la femme de maître Pierre Abélard, clerc et chanoine de Notre-Dame! Je ne pense pas qu'une future épousée, tout en complétant son trousseau, ait jamais été aussi tourmentée que je le fus alors. Chaque instant qui passait, me rapprochant de cette union profanatoire, me faisait prendre plus nettement conscience de notre aberration. En dépit des promesses de discrétion faites par Fulbert, je ne crus pas une seconde à la réalité de ses serments. L'avenir ne me donna que trop raison!

Ce fut donc la mort dans l'âme que je me rendis, la veille du jour fixé, à confesse. Puis vint la veillée précédant la cérémonie.

Nous avions décidé de la passer en oraison, afin d'attirer sur nous le pardon divin. Mais la foi, sans l'espérance et l'amour, n'est qu'un sépulcre blanchi dont se détourne l'Esprit Saint.

Je ne savais plus prier. Tu m'occupais trop, Pierre! C'était sans cesse vers toi que me ramenaient mes pensées.

Je nous revois, tous deux, agenouillés par terre, sur les dalles, éclairés par les cierges qui trouaient de leur clarté jamais en repos l'obscurité de l'église. Devant l'armoire eucharistique, une lampe brûlait. Sa lueur animait d'une sorte de vie palpitante l'hostie exposée. Nous avions revêtu de longs manteaux noirs à capuchon, tels des pénitents. Qu'étions-nous d'autre?

L'odeur de l'encens et des fleurs, mêlée à celle de l'herbe qui jonchait le sol, nous alourdissait. Je me souviens de mon front pesant, au creux de mes mains.

Plusieurs chapelains nous assistaient. Leurs prières devaient être bien différentes des nôtres! Nous récitâmes cependant ensemble l'office de vigiles. Ma voix défaillait. La tienne me parut plus assurée.

Comme cette nuit fut longue!

Après vigiles, nous restâmes jusqu'à l'aube enfermés dans l'église. Je ne pense jamais à ces heures d'amères méditations sans évoquer l'adoubement d'un chevalier. Pour lui aussi, on requiert le silence et l'adoration. Mais, en signe de pureté, il est vêtu d'une tunique blanche. Son âme doit être sans ombre, ainsi que sa tenue. Il en était tout autrement pour moi! En dépit de ma longue confession et de l'absolution qui m'avait été donnée, je me sentais dépouillée de ma fraîcheur, de mon intégrité et de mes espérances. Le poids du péché non expié pesait à mes épaules. Je me disais que notre amour n'était pas de ceux que Dieu consacre, que notre union était un défi lancé à Sa bonté, qu'il nous faudrait un jour payer cet acte insensé.

Aux premières lueurs du jour, alors que tout dormait encore dans l'île, une porte s'ouvrit du côté du chœur pour laisser entrer mon oncle, quelques-uns de ses parents et deux amis à toi. J'ai su depuis qu'ils avaient tous juré de garder le silence. Ils prirent place dans les stalles, et la cérémonie commença.

Un prêtre en surplis s'avança vers nous. Il nous bénit, puis bénit nos anneaux. Tu me passas l'alliance au doigt « où bat la veine du cœur ». Le simple frôlement de ta main sur la mienne, en un pareil lieu, me mit le sang aux joues.

Après la bénédiction nuptiale, nous assistâmes à la messe, dite à notre intention. J'étais écrasée par le sentiment d'une intolérable duperie.

Aussitôt l'office terminé, et après un dernier échange de regards, nous nous séparâmes. Tu partis avec tes amis. Je rentrai avec mon oncle dans la maison du cloître des chanoines.

Jamais plus triste mariage ne se vit. Je me souviens qu'il faisait un temps gris, doux et humide. Un temps de larmes rentrées.

Sans courage, l'âme en déroute, je gagnai le fond du jardin, m'assis au pied d'un coudrier qui poussait là. Je demeurai longtemps, plongée en une sorte de torpeur, à contempler le fleuve qui coulait un peu plus bas, et l'activité du port Saint-Landry qui me distrayait tant autrefois. La fausseté de notre situation me semblait sans issue. Elle l'était.

Dans les jours qui suivirent, je m'aperçus que la vie en commun avec mon oncle se révélait encore plus étouffante que je ne l'avais imaginé. Cette cohabitation hostile, d'où toute entente, toute chaleur humaine étaient bannies, ne pouvait pas durer. Fulbert m'évitait le plus possible. Je faisais de même. Nos rapports se bornaient donc à l'échange de salutations sans élan, matin et soir. Les rares repas qu'il nous advint de prendre en tête-à-tête n'ont laissé dans mon souvenir qu'une impression de vide et de répulsion. Comme je l'avais prévu, notre mariage secret n'avait rien résolu. Manifestement, mon oncle remâchait ses rancœurs. Je le voyais soucieux, obsédé et excédé par l'attention que je lui portais. Tel Judas, il vivait sous mes yeux les affres de la félonie, terrifiantes pour une conscience chrétienne.

Je me taisais et l'observais froidement. Il n'était plus en mon pouvoir d'intervenir, d'arrêter la marche des événements. Je dépendais, nous dépendions, toi et moi, à présent, des agissements d'un homme aigri et outragé. Qu'y faire? Impuissante, soumise à tes volontés, engagée dans une impasse, j'en étais réduite à l'inaction. Les machinations de mon tuteur se muaient pour moi en arrêts du destin! Ainsi que tout l'avait laissé présager, notre union légitimée me liait aux démarches de Fulbert. En nous mettant dans le cas de dépendre de lui, nous avions renoncé à notre propre autonomie. Il n'était plus temps de le déplorer. Depuis que tu m'avais fait connaître ta fatale détermination, je savais qu'il devait en être ainsi.

Comme je ne suis pas de celles qui acceptent de courber la tête sous le joug, j'affermis mon âme et la tournai tout entière vers ton adoration. Là était ma délivrance. Pour ne pas sombrer, il me fallait me raccrocher à cet amour qui allait devenir plus que jamais, dans l'air raréfié où il me fallait évoluer, mon support et ma force. J'avais, d'abord, à organiser la vie clandestine à laquelle nous nous étions condamnés.

Ainsi que nous en étions convenus, tu me fis savoir, quelques jours après la cérémonie de nos noces, que tu viendrais me visiter le lendemain. Il te fallait prendre mille précautions pour ne pas être surpris en train d'accomplir cette action déshonorante qui consistait à rejoindre celle qui était, cependant, ta femme devant Dieu et devant les hommes! Comme nous n'avions plus, du moins, à nous cacher de mon oncle, je ne me préoccupai pas de lui. Sibyle fut chargée de t'introduire secrètement jusqu'à moi, quand il ferait nuit noire.

Hélas! juin commençait, avec ses journées si longues et ses nuits trop courtes. Il nous fallut attendre fort tard que chacun fût endormi, car la douceur de la température incitait aux promenades prolongées et aux causeries sans fin.

J'étais au comble de l'impatience. Je t'attendais dans ma chambre, comme jadis. Bien que l'excitation joyeuse d'alors fût perdue, et que le titre de mari, dont tu pouvais maintenant te prévaloir, n'ajoutât rien à mon attachement, je m'étais préparée à ces retrouvailles comme à une fête. Il me fallait à tout prix préserver de la médiocrité les instants attendus que tu me consacrerais.

Baignée, ointe d'essence de tubéreuse, vêtue d'une simple chemise de soie brodée à l'encolure et aux poignets, les cheveux dénoués sur les épaules, mais retenus sur le front par un bandeau orné de perles, j'avais tenu à être l'image même de la jeune épousée recevant son seigneur.

Ma chambre avait été rangée avec soin, le sol jonché de pétales de roses, des coussins aux tons vifs répandus un peu partout, et des mets que tu aimais disposés sur un de mes coffres avec un hanap de cristal et un broc de vin pimenté.

Tout aurait dû contribuer à notre félicité. Hélas! s'il est en notre pouvoir de conformer les apparences à nos désirs, il ne l'est pas d'y plier notre sensibilité. Dès l'abord, un trouble subtil s'insinua en nous, qui gâta jusqu'à l'air que nous respirions. En dépit de l'effort accompli pour donner à nos retrouvailles aimable figure, ou, peut-être, à cause de cela, nous éprouvions un sourd malaise. Ce qu'il y avait de factice dans notre commune envie de reprendre les choses là où nous les avions laissées au moment de notre fuite, nous sautait aux yeux. On n'abolit pas à volonté dix mois aussi pleins d'événements, aussi chargés de conséquences. Plus rien n'était naturel, chaque mot, chaque geste devenait faux!

Après de vaines tentatives d'entretien, nous nous jetâmes avec fureur dans les bras l'un de l'autre. Il nous fallait oublier l'absurdité de notre état, et retrouver, au plus profond de nos étreintes, la vérité de notre passion.

A quelles folies ne nous sommes-nous pas livrés, cette nuit-là, dans la chambre obscurcie dont j'avais soufflé les chandelles! Par la fenêtre ouverte, les senteurs du jardin pénétraient jusqu'à nous. Odeur des fraises mûres et des pieds de sarriette, arôme des lis à la chair neigeuse, exhalaisons des foins, venues de l'autre côté de l'eau, vous demeurez liés dans mon souvenir aux effluves de nos corps enfiévrés que vous effleuriez sans les rafraîchir.

Dans l'avidité désespérée avec laquelle nous nous possédions, il y avait autre chose que la seule poursuite de la volupté. C'était le désir sauvage d'étouffer en nos cœurs la peur qui ne nous quittait plus.

Nous finîmes par nous endormir au creux du lit en désordre, sans être parvenus à échanger autre chose que des sensations. La douce causerie que j'espérais, n'avait pu naître. De façon paradoxale, notre frénésie était, en quelque sorte, un aveu d'impuissance à communiquer, dont nous avions conscience tous deux.

Avant l'aurore, tu te réveillas en sursaut. La crainte d'être aperçu sortant de chez moi te talonnait. Tu t'habillas, m'embrassas à la hâte, et tu te sauvas.

Est-ce ainsi qu'un mari quitte sa femme après leur nuit de noces? Il est vrai que les heures que nous venions de voler à nos mensonges n'étaient point nuptiales. De l'union que nous avions si étourdiment contractée, afin de nous concilier les bonnes grâces de l'oncle Fulbert, rien de bon n'était à espérer.

Quand je songe aux semaines qui s'écoulèrent de la sorte, je me demande comment nous eûmes le courage de soutenir une semblable parodie.

Notre mutuel besoin l'un de l'autre était si grand que nous eussions vraisemblablement continué long-temps encore à nous payer de simulacres, si l'attitude de mon oncle n'était venue changer le cours des événements.

Il me faut, aujourd'hui, essayer d'expliquer sans acrimonie le comportement de Fulbert, quelque tragique qu'en ait été l'aboutissement. Je dois demeurer impartiale. Ne serai-je pas jugée comme j'aurai jugé? Il est certain que cet homme orgueilleux et doué de l'esprit de famille avait été blessé à la fois dans sa vanité et dans sa tendresse à mon égard. Il est non moins certain qu'en dépit des déceptions que je lui avais infligées il conservait pour moi un reste d'affection, due, sans doute, à la force de l'habitude et au souvenir de ma mère. Il m'en voulait, certes, mais ne me reniait pas encore. Une réparation faite en bonne et due forme l'eût apaisé. Or, que lui avions-nous fourni comme satisfaction? Un mariage furtif que nul ne devait connaître!

C'était une belle compensation que nous lui offrions là!

Le monde du cloître Notre-Dame, celui des Ecoles, Paris tout entier étaient au courant de ma faute, et personne ne pourrait être avisé de ma réhabilitation!

Dans l'esprit de Fulbert, malade de susceptibilité rentrée, une idée fixe s'incrusta : faire savoir la vérité. Tant que j'étais en Bretagne, entre les mains des parents d'Abélard, il s'était tu. Il craignait pour moi et ne possédait aucun moyen de laver ma réputation. A présent, j'étais rentrée au bercail et mon honneur m'avait été rendu.

Comment rester muet en de telles conditions? L'envie de parler ne lui laissait plus de repos. J'imagine qu'il dut lutter contre la tentation, mais sa nature avide de considération et sensible au respect humain le poussait au parjure. Quoi, pendant des mois cruels, il lui avait fallu baisser la tête, supporter l'opprobre, souffrir les remontrances, les mines apitoyées ou les railleries de ses proches, mourir de confusion, de colère impuissante, sans pouvoir s'expliquer et, à présent que j'étais rentrée dans la voie des convenances, il n'aurait pas eu le droit de le crier sur les toits? Tu n'avais pas songé, Pierre, aux ravages de conscience qu'une telle soif d'égards pouvait provoquer. Ils étaient pourtant prévisibles.

Sur le visage creusé de mon oncle, j'avais suivi les phases de ce combat sans merci. Il était perdu d'avance. Je m'attendais donc aux suites. Elles ne se firent pas attendre.

Etant parvenu à se persuader du bien-fondé de ses arguments, mon oncle se décida à parler. Je suppose qu'il en éprouva même un plaisir rugueux et un peu trouble. Il s'arrangea donc pour faire comprendre à ceux de ses parents qui l'avaient assisté comme témoins à notre mariage que le temps était venu de passer outre à leurs scrupules. Abélard s'était-il embarrassé de pareille délicatesse quand il m'avait séduite dans la propre demeure de son hôte? La nécessité de laver l'honneur de la famille leur parut certainement justifier la divulgation de notre secret.

Fulbert et les siens devaient aussi songer aux nouveaux risques que nous prenions. Nos rencontres, pour espacées et clandestines qu'elles aient été, risquaient d'être découvertes. « Si Abélard accepte de voir sa femme passer de nouveau pour sa maîtresse, devaient-ils penser, nous ne pouvons accepter, quant à nous, un tel redoublement de honte et d'infamie. »

Le malheur, vois-tu, Pierre, était que tous ces gens nous jugeaient ainsi que des êtres du commun. Ils n'avaient pas compris l'exceptionnelle gravité de nos sentiments. Ils se comportèrent donc comme de vulgaires justiciers. Par leurs soins, des chuchotements indiscrets coururent la ville et l'Ecole.

Avec quelle délectation chacun devait colporter l'excitante nouvelle! Abélard, l'illustre maître, était marié! Ce héros de la vie spirituelle avait sacrifié sa gloire à la fornication! Ce Sénèque des temps modernes était la proie d'une faible femme!

Tes ennemis, enfin, se voyaient fournir une arme contre toi.

Dès que j'eus vent des racontars qui se multipliaient, je m'élevai contre eux. N'étais-je pas la seule personne, en dehors de toi, qui sût à quoi s'en tenir? Je clamais désespérément mon démenti, insouciante de ma renommée, si je pouvais sauver la tienne.

Ce fut Biétrix Tifauge qui donna l'alarme. Cette femme n'a jamais désarmé contre moi. Pourquoi? Je ne le sais pas encore.

On était en août. Il faisait, je m'en souviens, une chaleur de grand été. On avait tendu un velum dans le jardin, entre les branches, afin que la brise venue du fleuve pût nous rafraîchir. Assis dans l'herbe, sur des coussins amoncelés, nous étions vêtus aussi légèrement que possible. C'était un dimanche, me semble-t-il. Nos servantes étaient parties danser sur le pré Saint-Germain. Des refrains de chansons, des airs de carole parvenaient jusqu'à nous. Mon oncle jouait aux dés avec sa cousine, venue nous visiter comme elle en avait l'habitude. Par courtoisie, je leur tenais compagnie.

Afin de me donner une attitude, je tressais des guirlandes de chèvrefeuille que je destinais à l'église voisine. Des mouches, excitées par la chaleur, voletaient autour de nous. Leur vrombissement demeure dans mes oreilles comme le murmure assourdi des commérages.

Après une discussion vaine au sujet du dernier poème de Marbode, Biétrix se tourna soudain vers moi :

« Je ne sais si je dois vous féliciter, mon enfant, attaqua-t-elle aussitôt avec un sourire en lame. J'ai ouï dire que vous étiez en puissance de mari... mais votre discrétion est si grande...

– Qui donc vous a fait ce beau conte, ma cousine ? »

Je m'exprimai sur un ton badin, mais mon cœur sautait entre mes côtes.

« Un de nos parents. »

J'examinai mon oncle. Il ne broncha pas.

« Je ne sais lequel d'entre eux s'est permis de vous mystifier de la sorte, assurai-je avec conviction, mais il en a menti ! »

Fulbert fronça les sourcils. Biétrix faisait des mines.

« C'est pourtant un homme de bonne foi, reprit-elle sans cesser de sourire. Je ne le crois pas capable de duplicité.

– On l'aura abusé.

– Il paraissait bien informé et décrivait de mystérieuses épousailles, célébrées non loin d'ici et vous unissant à un homme fort connu. »

Rejetant le chèvrefeuille, je me levai d'un bond et vins me planter devant la veuve.

« Il me semble que, si j'étais mariée, je le saurais, dis-je.

– Vous pourriez préférer ne pas en parler.

– Et pour quelle raison, je vous prie?

– Il est des charges qui coïncident assez mal avec l'état de mariage, ma belle, et des réputations qui n'y survivraient pas. »

Je la fixai dans les yeux.

« Je vous jure, ma cousine, que je suis toujours fille.

– En voilà assez! »

Mon oncle s'était levé à son tour, repoussant les coussins avec rage, jetant au loin le cornet à dés.

« Puisque la chose est sue, Héloïse, pourquoi la nier? »

Je me retournai vers lui pour le dévisager plus à mon aise.

« Je ne sais qui a propagé cette fausseté, m'écriai-je, mais ce ne peut être qu'un imposteur. Vous savez bien, vous, mon oncle, ce qu'il en est. »

Je le poussais dans ses derniers retranchements. Allait-il se parjurer?

« Justement! cria-t-il en se redressant de toute sa taille, justement! C'est en me refusant à admettre l'évidence que je mentirais à présent. Vous êtes mariée, et bien mariée. C'est un fait. Tout le monde le sait. Ce n'est plus la peine de le dissimuler. »

Devant tant d'impudence, je m'emportai.

« Ainsi vous voilà donc du nombre de mes ennemis! Vous vous joignez à eux pour me déconsidérer! criai-je. Je ne suis point mariée, vous dis-je! »

Biétrix nous guettait avec, au fond de ses yeux de volaille, une immense satisfaction.

« Enfin, ma fille, avez-vous convolé, oui ou non?

– Non!

– Si! »

La scène tournait à la farce. Un violent dégoût me gagnait. Je ne cessai pas, pour autant, de défier Fulbert du regard.

« Menteuse! damnée menteuse! hurla-t-il.

– Félon! » jetai-je entre mes dents.

A peine le mot était-il parti qu'une gifle d'une force terrible faillit me jeter à terre.

« Eloignez-vous, fille de Satan, écartez-vous de moi, que je ne vous voie plus, ou je vous tue sur place! » ordonnait mon oncle en esquissant un nouveau geste pour me frapper.

Suffoquée d'indignation, je regagnai ma chambre. Ainsi donc, on nous avait trahis et notre secret était la fable de la cité! Pour l'avoir prévu, je n'en souffrais pas moins. Non pour moi. Je me moquais des sots et de leurs caquets. Pour toi : je savais quel coup cette découverte te porterait! Comment avais-tu pu, mon cher amour, faire confiance à la parole de gens si directement intéressés à la renier?

Puisque cet hymen te semblait nécessaire, il ne fallait y mêler personne. Il est vrai que mon oncle, dans ce cas, eût pu douter de l'accomplissement d'une cérémonie à laquelle nous n'aurions pas jugé bon de le faire assister. Je me sentais devenir folle! Pourquoi m'avais-tu fait quitter Le Pallet où j'étais si tranquille?

Aurais-tu offert de m'épouser si tu avais prévu que mon oncle dévoilerait ainsi ce qu'il avait juré de taire?

Une fois encore, douleur et déception viendraient de mon parage! C'était moi qui attirais l'orage sur ta tête! Moi qui entravais ta glorieuse destinée! Mon cœur criait de souffrance à cette constatation.

Et voici, Seigneur, que, tout soudain, je me demande si je ne m'abusais pas moi-même en m'accablant de la sorte. Non pas qu'il puisse être question de mettre en doute ma sincérité. J'étais totalement, éperdument sincère. N'étais-je pas, cependant, victime sans m'en douter du personnage que j'avais adopté une fois pour toutes? Celui de l'amoureuse éblouie, humble et sacrifiée? Ne me suis-je pas joué, durant des lustres, le mystère de l'élue par l'Amour?

Car, enfin, c'était Pierre qui avait voulu notre hymen. C'était lui, en bonne justice, qui nous avait mis dans le guêpier où nous nous débattions. J'ai toujours été trop sensible à la logique pour ignorer cette évidence. Pourtant, je m'accusais, avec une bonne foi absolue, d'être la responsable de nos malheurs. N'y a-t-il pas là quelque chose d'inconciliable?

Seigneur, je crie vers Vous! Vers quel abîme, vers quelle découverte me conduisez-Vous ainsi, pas à pas? Mon amour s'est si intimement confondu avec ma propre existence que je ne puis plus les dissocier l'un de l'autre. Je ne le puis sans mourir! Est-ce donc parce que je suis aux portes de la mort que Vous portez le glaive dans mon âme? Cet examen de conscience général n'aurait-il pas d'autre but que de démystifier ma raison d'être?

Non, Seigneur, non, je Vous en supplie, laissez-moi ma croix!

D'un mouvement brusque, qu'on n'eût pas attendu de sa faiblesse, la mère abbesse se dressa soudain sur sa couche. Penchée en avant, tenant serrées contre sa poitrine les couvertures qu'elle agrippait entre ses mains fébriles, elle semblait en proie à une horreur sans nom. Ses yeux, grands ouverts, fixaient son entourage et ne le voyaient pas. Une expression hagarde crispait ses traits.

« Non, murmura-t-elle de façon distincte en passant avec lenteur ses doigts sur son visage, non, ce n'est pas possible ! »

Un moment, elle demeura ainsi, continuant à contempler de son regard de visionnaire les assistants de son agonie. Eux, figés, n'osaient plus respirer.

Debout au fond de la pièce, Pierre-Astralabe, fort pâle, observait sa mère. Toute à son débat intérieur, elle ne le reconnut pas. Le vit-elle seulement ?

Elle tremblait à présent de tout son corps. Une sueur poisseuse coulait dans son dos, sur son front.

Sœur Margue se pencha pour essuyer la face souffrante avec un linge de toile fine. La malade n'eut pas l'air de s'en apercevoir.

« Elle est glacée, chuchota la sœur infirmière à mère Agnès qui avait repris sa place auprès du lit. Il faudrait, peut-être, que je bassine ses draps avec des tisons et des graines de coriandre ? »

La prieure eut un geste impératif.

« Ne bougez pas. Laissez-la. Ne voyez-vous donc

pas qu'elle dialogue avec Celui devant lequel, bientôt, elle doit comparaître? »

Les épaules d'Héloïse s'affaissaient lentement. Le ressort qui l'avait dressée tout à coup se détendait-il?

Non sans peine, grâce à l'aide de sœur Margue, la révérendissime mère se recoucha enfin. Elle respirait avec effort. D'une main aveugle elle pressait sa poitrine à l'endroit du cœur.

Le psautier, qu'elle avait réclamé la veille, avait glissé sous les coussins écroulés. Elle ne s'en inquiéta pas.

Les signes d'une immense fatigue s'inscrivaient sur ses traits privés de couleur. On pouvait y lire la détresse et l'abandon.

Abandon à la volonté divine? Abandon de soi?

Par la fenêtre toujours ouverte s'insinuaient les accents assourdis du chœur des moniales qui continuaient à chanter les psaumes, dans l'oratoire. L'office de vigiles n'était pas encore terminé.

Lassée de son inaction, sœur Margue s'empara, d'un geste décidé, du gobelet plein de thériaque qu'elle avait vainement préparé. Profitant de la lassitude de l'abbesse qui n'avait plus la force de la repousser, elle souleva le buste amaigri comme on ferait d'un enfant, et fit couler un peu du breuvage revigorant entre les lèvres disjointes. Puis elle réinstalla la patiente avec une douceur de mère parmi les draps froissés.

Un besoin irrépressible de dévouement agitait l'infirmière. Bravant une seconde fois le regard désapprobateur de la prieure, elle enveloppa ensuite avec soin, dans une poche de fourrure, une pierre carrée qui avait tiédi entre les cendres, et, soulevant les couvertures de peaux, la glissa sous les pieds d'Héloïse.

« Pourquoi vous acharner?... » souffla la mère Agnès.

L'expression de fidélité butée qu'elle déchiffra dans les yeux de sœur Margue ne l'incita pas à continuer plus avant.

Se retournant vers la couche, elle reprit la récitation de son chapelet.

Au fond de l'infirmerie, Pierre-Astralabe, tombé à genoux, exhalait son âme ardente en une oraison passionnée.

LA scène provoquée par Biétrix ne fut pas la dernière, hélas! qui nous opposa, Fulbert et moi.

Lors de nos trop rares rencontres, tu m'adjurais de continuer à protester que rien n'était plus faux que cette histoire de mariage. Je t'obéissais, Pierre, comme toujours. Ma vie devenait infernale. Exaspéré par mes dénégations, mon oncle prenait l'habitude de me corriger sans vergogne. Il éprouvait, aurait-on cru, un malin plaisir à faire défiler sans cesse chez nous de nouveaux amis qui m'interrogeaient sans fin sur nos noces. On eût dit que toute la ville s'intéressait à notre situation.

Fulbert poussait vers moi les questionneurs, je niais farouchement; il s'acharnait, moi aussi. Nous en venions bientôt aux cris. Nos altercations prenaient, de jour en jour, plus d'ampleur. Le résidu d'affection qu'il m'avait gardé après notre fuite et mon retour finit par fondre au souffle de nos disputes. Me jugeant ingrate et rebelle, il me chassa de son cœur.

Dès lors, tout fut mort entre nous. Je n'étais plus des siens. Avec la même intransigeance qu'il m'avait naguère défendue, il m'accablait à présent. Son ressentiment pouvait, enfin, se donner libre cours. A tous moments, j'étais sujette aux injures les plus grossières, aux reproches, aux mauvais traitements.

Par fierté, et pour ne pas ajouter à tes ennuis, je ne te parlais jamais, dans nos heures d'intimité, des sévices qu'il me fallait supporter. Il est vrai que tu venais bien peu.

Inquiet des bruits qui circulaient et que je ne pouvais te celer, tu commençais à mettre en doute la sincérité de mon oncle.

« Fulbert est un traître! me confias-tu une nuit, alors que nous devisions en nous restaurant, après l'amour. Je crois bien qu'il a divulgué la vérité, malgré ses serments. »

Je partageais ta réprobation. Bien qu'il me soit arrivé de penser que les façons d'agir de mon tuteur étaient, peut-être, explicables. En effet, de toutes les représailles qu'il avait dû imaginer pendant que j'étais au Pallet, celle qui consistait à affirmer que j'étais ta femme, alors que je l'étais réellement, n'était pas la plus vengeresse. De la part d'un être aussi maladivement bilieux n'aurait-on pas dû s'attendre à pis? Pour assouvir sa vindicte il devait être capable d'inventer bien autre chose qu'une indiscrétion, même agrémentée d'un parjure!

Je l'appréhendais. C'est pourquoi il me semblait qu'il eût été plus habile de lui laisser cette revanche, plutôt que de l'inciter, par notre intransigeance, à en méditer une plus terrible. Je souhaitais temporiser, attendre que le bruit fait autour de cette affaire s'estompât, pour aviser ensuite. Ta nature bouillante ne pouvait pas, je le savais, se plier à une si dure discipline.

Je continuai donc, sur ton ordre, à démentir les propos tenus sur notre compte. Fulbert en devenait enragé. Il me fallait me garer sans cesse de ses coups. Certaines fois, je ne pouvais éviter à temps les objets lancés à toute volée qui pleuvaient sur moi.

Soudain, tout se précipita.

A la suite d'une querelle particulièrement pénible au cours de laquelle mon oncle m'avait frappée avec un tisonnier, au risque de me blesser, tu fus mis au fait de ce qui se passait sous notre toit.

J'ai toujours pensé que Sibyle, révoltée dans l'affection qu'elle me vouait, avait jugé bon de te prévenir. Que ne s'en est-elle abstenue?

Une nuit où je ne t'attendais pas, tu survins tout à coup. A mes questions, tu répondis savoir de quelle manière on me traitait céans et qu'il ne te convenait point que cela continuât.

« Que veux-tu donc que je fasse?

– Quitter cette demeure.

– Tu n'y songes pas!

– Il n'y a pas d'autre solution.

– Où irai-je donc?

– J'y ai pensé. Je ne puis te recevoir longtemps chez moi. Ce serait confirmer que nous sommes mariés.

– Je n'ai pas d'autre asile.

– Si fait! Tu vas retourner à l'abbaye d'Argenteuil où tu fus élevée.

– Au couvent!

– Nous n'avons pas le choix.

– Qu'y ferai-je, puisque je suis ta femme?

– Tu y reprendras paisiblement tes études, en attendant que je vienne te chercher. Nous n'aurons qu'à laisser couler le temps. Plus tard, les esprits étant calmés, nous chercherons une solution plus satisfaisante. »

Je réfléchissais.

« C'est en tant que visiteuse laïque, que je m'installerai à Argenteuil? »

Tu me considéras d'un air perplexe.

« Il me semble plus sûr de te faire revêtir l'habit monastique, dis-tu au bout d'un instant. Sous la robe sacrée, tu seras tout à fait à l'abri des poursuites de ton oncle. Mêlée aux novices, hors du monde, tu n'auras plus à redouter ses revendications. »

Une sorte de panique s'empara de moi.

« Je préférerais ne pas prendre de vêtements religieux, dis-je doucement. Ils me sépareront encore plus de toi que les murs du couvent. »

Tu te mis à rire, Pierre, je me le rappelle. Tu m'assuras ensuite que ni les murailles conventuelles ni le costume de laine noire ne t'empêcheraient de venir me retrouver quand nous le désirerions. Puis tu m'attiras dans tes bras.

Il en fut donc ainsi que tu l'avais voulu.

Au jour dit, je me rendis chez toi, en cachette, alors que j'étais censée flâner à la foire du Lendit. Sibyle, bien entendu, m'accompagnait. Dans ton logis, qui eût dû être mien, et où je ne pénétrai pas sans émotion, je me changeai et passai sous ta direction les différentes pièces de mon ajustement de moniale. Je ne sais comment tu étais parvenu si rapidement à t'en procurer un. Je ne te le demandai pas. Tout y était, à l'exception du voile que portent uniquement celles qui ont prononcé des vœux définitifs. Tu m'aidas toi-même à ajuster la robe et tu attachas l'ample manteau sur mes épaules.

Ce furent, hélas! les derniers soins familiers que tu me donnas! En quittant mes parures de couleur, je vêtais sans le savoir une tunique de Nessus dont je ne parviendrais plus à me défaire.

Tu me trouvas plaisante sous cet accoutrement sévère et me le témoignas, au risque de me friper. Je ne partageais pas ton humeur badine. Une angoisse m'étouffait.

Le cœur en deuil, je te quittai enfin, et pris le chemin du monastère. Montée sur ma jument, ma servante en croupe, je fendis la cohue au pas. C'était, en effet, fête chômée, ce jour-là. On dansait dans les rues, sur les places, dans les cours. Il faisait chaud. Les crieurs de vins et les taverniers avaient quantité de pratiques et on croisait beaucoup de trognes illuminées. Une certaine joyeuseté montait de la foule légèrement vêtue, portée à la plaisanterie, et quelque peu excitée par la canicule. Des femmes égrenaient des rires énervés, les hommes leur contaient fleurette, des enfants, qu'on ne surveillait plus, couraient en piaillant entre les groupes et les pattes des chevaux.

Avec quelle mélancolie je traversais cette presse à laquelle j'aimais me mêler quand loisir m'en était donné! J'étais encore bien jeune pour délaisser les divertissements de mon âge. Combien de temps durerait ma claustration? Je soupirais. Au milieu du peuple en joie, je me sentais étrangère. Déjà exilée.

Non pas que mon caractère fût porté à la frivolité. Je préférais mes livres à la danse. Mais, si la jeunesse en moi était plus encline à l'étude qu'aux jeux, il n'en demeurait pas moins qu'elle était la jeunesse. J'aimais la gaieté, la musique, les promenades et les bliauds de soie vive.

En m'enfermant dans un couvent, je renonçais, peut-être pour longtemps, à tout cela. Par amour de toi, j'aurais sacrifié bien davantage. Tu le savais. Mais ne risquais-je pas, aussi, en retournant chez les sœurs, de me priver de ta présence qui m'était tellement nécessaire? Quand, comment viendrais-tu me visiter? Toute étreinte nous serait, désormais, interdite. L'entente charnelle, que nous réalisions si parfaitement, devenait un rêve sacrilège dans l'enceinte d'une abbaye.

Livrée à mes pensées amères, je m'éloignais de Paris et de son agitation. Par le chemin allant du Grand Pont à Saint-Germain-le-Rond, je gagnai le marché aux Pourceaux, puis la route d'Argenteuil.

Il nous fallut attendre, pour passer, le bac qui permettait de franchir la dernière boucle de la Seine. Dans la touffeur du milieu du jour, j'étais trempée de sueur sous mon épais vêtement de laine. Devant mes yeux abattus, des barques, chargées de rameurs et de femmes, sillonnaient le fleuve dans un grand bruit d'eau agitée et de rires.

La rive, où nous finîmes par aborder, était couverte de vignes. Le raisin mûrissait déjà.

« Les vendanges seront belles cette année », remarqua Sibyle, qui ne savait quoi faire pour me distraire de mes mornes rêveries.

J'approuvai d'un signe. Que m'importait? Le vin ne participait-il pas dorénavant des douceurs qu'il me fallait ignorer?

Les murs du couvent se dressaient, massifs, au-dessus des vignobles. Devant le portail, Sibyle me quitta. Elle s'en retournait seule, sur ma jument, vers mon ancienne vie. A cet instant, malgré mes difficultés familiales et les violences de mon oncle, il s'en fallut de peu que je ne repartisse avec elle. Une nostalgie, qui ressemblait à un pressentiment, me poignait. Seul, le respect de ton autorité me retint.

Les religieuses, que j'avais quittées peu d'années auparavant, m'accueillirent sans trop de réticence. Aucun enthousiasme, cependant. Elles étaient peut-être secrètement flattées de ce que la femme la plus érudite du royaume vînt leur demander asile, mais les rumeurs qui n'avaient pas manqué de leur parvenir au sujet de ma vie privée les inquiétaient manifestement. Aux questions allusives qu'elles me posèrent, je répondis en expliquant mon besoin d'une retraite par la nécessité de parachever certains travaux. J'ajoutai avoir l'intention de me consacrer à la méditation des Livres saints.

Je retrouvai une cellule semblable à celle où j'avais grandi, le calme des habitudes conventuelles, l'ordre et la beauté des jardins.

Dès le lendemain, je me remis à l'étude. Il me fallait cette discipline pour échapper à mon obsession. J'y puisais un apaisement relatif.

Quelques jours passèrent ainsi, hors du temps. Je pensais à toi. J'attendais. Quoi? Je l'ignorais. Le dénouement de notre histoire? Comment s'annonce-rait-il? Je ne pouvais imaginer sans crainte la fureur redoublée de mon oncle après ma disparition. Connaissait-il le lieu de ma résidence? Viendrait-il m'y chercher? M'y laisserait-il?

Une nervosité dont je n'étais pas maîtresse me gagnait. Je ne supportais que difficilement l'éloignement où je me trouvais de toi, alors que l'union que nous avions contractée aurait dû nous réunir pour toujours. L'ignorance me pesait. Le désir me harcelait de nouveau.

Que faisais-tu, mon bien-aimé, pendant que je me

languissais à Argenteuil? Dans quel état d'esprit et de cœur vivais-tu? Lentement, la fièvre montait en moi.

C'est alors qu'un dimanche, après none, tu me fis demander au parloir. En ce temps-là, il n'y avait pas de grille entre les visiteurs et les moniales. Tu pus donc m'entretenir tout à ton aise et d'aussi près que possible. Dès l'abord, tu me dis souffrir de mon absence, mais te féliciter néanmoins de m'avoir soustraite aux brutalités de Fulbert.

« Ton départ l'a outré d'indignation. Il écume et menace à tout venant. Le spectacle qu'il donne n'est plus celui du digne chanoine que nous connaissions, mais celui d'un homme qui a perdu la raison.

– Sait-il que je suis ici?

– Tout se sait à Paris! Il n'en est que plus furieux à l'idée que tu portes maintenant l'habit des religieuses. On dirait que ce détail a achevé de l'enrager.

– Que dit-il, au juste?

– Il clame à tous les échos, et ses parents font chorus avec lui, que je les ai joués, que je n'ai jamais pris notre mariage au sérieux, que je t'ai obligée, en outre, à entrer dans les ordres afin de me débarrasser de toi.

– C'est absurde! Il est fou!

– Il est, certainement, en train de le devenir. »

Le doute, soudain, me transperça comme une dague.

« Pierre, jure-moi que ce n'est pas pour m'éloigner de toi, pour faciliter notre séparation que tu m'as envoyée ici? »

Je n'avais pas encore envisagé une telle hypothèse. Les complications qui semaient notre route commençaient-elles à te peser? Mon séjour à Argenteuil était-il, en définitive, un habile stratagème pour amorcer une rupture entre nous? Mon départ pour un monastère ne te servait-il pas, au mieux, à prouver l'inanité des rumeurs affirmant que nous étions mariés?

« Pierre, réponds-moi. Je t'en supplie! »

Tu eus, alors, ce sourire qui m'ensorcelait.

« S'il ne tenait qu'à moi de te prouver sans plus tarder le côté démentiel d'une semblable supposition, dis-tu plus bas, je le ferais sur-le-champ. Hélas! je ne le puis. »

Tu me saisis les mains.

« En tant que visiteuse laïque, tu ne dois pas être fort surveillée par tes compagnes?

– Je suis libre, en effet, d'aller et de venir à ma guise.

– Parfait. »

Tu inspectas, d'un regard rapide, les alentours.

« Trouve-toi, ce soir, après complies, dans le réfectoire. Je t'y rejoindrai. »

Je te dévisageai comme si je doutais de ton bon sens.

« C'est tout à fait impossible, mon amour! Nous sommes, ici, dans un lieu consacré. Songe au scandale!

– Nul ne le saura. Rassure-toi. Ne suis-je pas ton époux? »

Ta détermination était arrêtée. Rien ne pouvait plus t'en détourner. Après d'inutiles tergiversations, je cédai, une fois de plus.

Comme en un rêve, je te vis partir ostensiblement du couvent. Je regagnai ma cellule. Un trouble, dans lequel je ne chercherai certes pas de justification à l'acte que nous nous apprêtions à commettre, un trouble où les sens et l'esprit se déchiraient comme des chiens, m'occupa jusqu'à la fin de l'office du soir.

Mes compagnes, après s'être agenouillées devant l'abbesse pour recevoir la bénédiction de la nuit et baiser son anneau, montèrent se coucher. Le crépuscule embrasait le couchant.

Le souffle court, je fis quelques pas dans le jardin, afin de prendre du retard. Personne ne s'inquiéta de moi. Mon état de visiteuse me dispensait d'observer la règle et me donnait droit à certains privilèges.

L'ombre gagnait quand je me retrouvai dans le

réfectoire. Tu avais sans doute choisi cet endroit pour ce que le bâtiment où nous prenions nos repas était un peu à l'écart des autres. Les cuisines, qui y attenaient, se trouvaient vides, à cette heure tardive.

Je regardai vivement autour de moi. Tout était silencieux. Après m'être assurée de ma solitude, je m'apprêtais à tirer les lourdes portes de bois, quand je te vis surgir de la roberie, rasant les murs.

« Je me suis caché, au risque d'y périr suffoqué, entre les vêtements des religieuses, me dis-tu en me rejoignant. Nul ne pouvait m'y découvrir. »

Tu riais. Tu m'embrassais. Je fermai le vantail.

A l'intérieur du réfectoire, il faisait presque nuit. Les dernières lueurs du jour teignaient de pourpre les feuilles de parchemin léger qui garnissaient les fenêtres. Les longues tables, recouvertes de nappes blanches, retenaient encore un fantôme de clarté. Dans la pénombre, brillait seulement la flamme d'une lampe d'argent allumée au pied d'une statue de la Vierge.

« Je ne veux plus rester ici, Pierre! Emmène-moi!

– Et où veux-tu aller, ma pauvre adorée?

– N'importe où. J'étouffe entre ces murs. »

Tu me pris dans tes bras.

« Patience. Notre heure viendra. Il n'est que d'attendre.

– Je n'en puis plus.

– Crois-tu donc que je ne meurs pas d'envie, moi aussi, de te retrouver? »

Tu m'enlaçais plus étroitement. Tes lèvres se faisaient plus gourmandes, tes mains plus chercheuses. L'amour me dévastait. Pourtant, l'idée du sacrilège me révolta.

« Non, Pierre, pas ici!

– Pouvons-nous gagner ta cellule?

– Il n'y faut pas songer. On ne peut y pénétrer qu'en passant devant la pièce où repose l'abbesse.

– Tu vois bien! »

Quand tu me tenais contre toi, je perdais tout contrôle. Un vertige de feu m'arrachait à mes limites pour m'entraîner vers les cimes du plaisir. Je te cédai donc. Ce fut un déchaînement.

Plus tard, dans une lettre que tu m'écrivis en réponse à l'une des miennes, tu disais : « Tu sais que notre impudicité ne fut pas arrêtée par le respect d'un lieu consacré à la Vierge. Fussions-nous innocents de tout autre crime, celui-là ne méritait-il pas le plus terrible des châtiments? »

Je reconnais notre déraison. Jamais, non plus, n'ai-je tenté de la minimiser. Notre passion, ce soir-là, se colora brusquement des reflets sulfureux de l'enfer. Sur un mot de toi je t'aurais, sans hésiter, précédé ou suivi jusque dans les abîmes enflammés de la géhenne... Dieu le sait, qui veillait, Lui qui est l'Omniscient!

Avant vigiles, tu t'en allas. Je te vis disparaître dans la nuit d'été, englouti par elle.

A cet instant, tout s'achevait. Je l'ignorais, mais en regagnant furtivement ma cellule, je pleurais tout bas. Rien, pourtant, ne semblait perdu, rien ne parlait de condamnation. Tu m'avais promis de revenir. Tu faisais des projets encore en me disant au revoir. Mon corps conservait l'empreinte du tien; ton odeur demeurait, vivante, sur moi; je pouvais croire à l'éternité d'un amour que tu me prouvais avec tant de fougue.

D'où me venait donc ce goût de cendres?

Il s'écoula deux ou trois jours sans que rien se produisît. La chaleur persistait. Les feuilles de nos treilles se recroquevillaient déjà. Les prunes du verger, exposées au soleil par un feuillage desséché, se craquelaient. Des larmes de miel coulaient sur leur peau blonde. Les abeilles s'enivraient de suc. Dans le jardin, la terre se fendillait et les frères lais arrosaient sans fin. L'herbe était rousse comme un pelage de cerf. On commençait à prier pour demander la pluie.

Afin de profiter des moments de fraîcheur, je travaillais dès l'aube, puis je faisais la sieste vers la douzième heure du jour, après dîner.

Rien de plus tranquille. Ainsi, avant l'ouragan. Tout se tait. Le répit accordé fait oublier la menace.

Puis, le feu de Dieu s'abattit sur nous!

Parvenue à ce terme, Seigneur, je me sens rétive comme un coursier auquel on impose contre sa volonté le saut d'un obstacle. Vous savez que je n'ai jamais cessé d'en vouloir à Fulbert de sa barbarie. Voici donc qu'il me va falloir, sans plus tarder, lui accorder merci! Comment le pourrais-je? Si j'étais seule en cause, Seigneur, je le tiendrais quitte. Mais son abominable cruauté envers Pierre, je ne saurais l'oublier!

On peut, sans doute, chercher des motifs à son crime. N'en trouve-t-on pas toujours? Mon entrée au couvent avait certainement achevé de lui faire perdre l'esprit. Porté au dernier degré de rage par ce qu'il considérait comme une suprême trahison de mon mari désireux de se défaire de moi, mon oncle devint fou de haine. Après mon déshonneur et sa propre honte, après un enlèvement qui avait fait du bruit et la naissance d'un bâtard, après tant de méfaits et de traîtrises, Abélard m'enfermait dans un monastère, violant encore une fois ses serments les plus solennels! Fulbert ne put admettre une telle duplicité. Dans son esprit brûlé de fièvre, l'idée d'un plan diabolique germa soudain. La popularité de mon suborneur ne lui parut plus supportable. Ce fut donc vers une vengeance aussi infamante que sanguinaire qu'il se tourna.

Je puis énumérer ses raisons. Pourrai-je jamais lui pardonner? Je sais que je le dois si je veux, Seigneur, me présenter devant Vous avec quelques chances d'être absoute. Que c'est dur, mon Dieu, d'étouffer ma rancune. Par la faute de cet homme sans pitié, nos deux existences furent détruites. Il est vrai, pourtant, que plus tard Pierre me conjura de voir en lui Votre instrument, qu'il estima légitimes les représailles de mon oncle qui, disait-il, lui avait retourné félonie pour félonie, qu'il Vous rendit grâce pour une épreuve méritée et sanctifiante!

Jusqu'à ce jour, j'ai refusé de suivre Pierre sur ce chemin. Je me suis ancrée dans mon ressentiment. L'heure est-elle donc venue de jeter, avec mon orgueil, mes griefs par-dessus bord? Pour m'en aller vers Vous sans chaîne, Seigneur, délivrée de moi-même et de mes obsessions. Puisque Vous le voulez, mon Dieu, puisque Pierre m'a écrit jadis qu'il le souhaitait aussi, je vais m'y efforcer. Mais c'est affreusement difficile. Arracher cette épine si bien implantée dans mon cœur, c'est trancher dans le vif.

Seigneur! Aidez-moi!

« Pardonnez-moi mes offenses ainsi que je les pardonne à celui qui nous a offensés! »

Je n'en ai plus pour longtemps, d'ailleurs, à parler de Fulbert. Je préfère ne pas m'attarder en sa compagnie.

Avec certains de ses parents, il ourdit donc un complot. Il savait que Pierre, toujours sur ses gardes, reposait dans une chambre retirée de sa demeure. Un domestique veillait à sa porte. Il ne dut pas être coûteux d'acheter ce valet. Qui ne corrompt-on pas avec un peu d'or? Une nuit, Fulbert et les siens furent introduits par le serviteur déloyal dans la pièce où Pierre dormait. Ils l'immobilisèrent par force et lui firent subir, à peine éveillé, la plus sauvage et la plus ignominieuse des mutilations.

Quand j'appris, à Argenteuil, par les soins maternels de l'abbesse, le monstrueux attentat dont tu venais d'être la victime, Pierre, j'eus l'impression que la lumière du jour s'obscurcissait, et je perdis connaissance.

Dès que je revins à moi, je sollicitai la permission de regagner Paris pour t'aller soigner.

« Il n'est pas sûr que messire Abélard souhaite votre présence à ses côtés pour le moment, me dit l'abbesse. Il lui faut du repos. L'agitation que lui causerait votre venue lui serait néfaste. Priez plutôt pour lui, ma fille. C'est d'oraisons qu'il a le plus besoin! »

Je ne parvenais pas à prier. Le fer qui avait amputé mon époux, avait tranché mon avenir du même coup et nous avait précipités tous deux dans la douleur. Une révolte furieuse me soulevait tout entière. Je ne pouvais me retenir d'accuser, Seigneur, Votre cruauté! La torture subie par ce corps adoré me dévastait l'âme. J'étais assiégée d'images hideuses et je souffrais jusque dans mes entrailles à l'évocation du supplice qui t'avait été infligé, mon pauvre et cher amour.

Je n'acceptais pas Votre jugement, Seigneur! Je me dressais contre lui!

Pourquoi Pierre payait-il, seul, dans sa chair, un péché qui nous était commun? Nous avions été deux pour la faute, il se trouvait seul pour le châtiment!

Une écrasante sensation d'injustice s'appesantissait sur moi.

Fallait-il que Pierre soit condamné, alors que nous étions unis devant Dieu? Du temps de notre liaison, la colère divine nous avait épargnés. C'était après que nous eûmes légitimé cet amour illégitime, quand nous avions couvert des voiles du mariage la honte de nos égarements, que la rigueur du Seigneur s'acharnait sur nous!

Dans la cellule où je m'étais réfugiée, je ne pleurais point. L'intensité de ma détresse dépassait toutes larmes. Repliée sur moi-même comme si j'avais reçu un coup de couteau dans le ventre, je tremblais de tous mes membres, mais j'avais les yeux secs. Je me sentais ravagée comme une maison après un incendie. Les murs, seuls, restent debout, tout le reste, le cœur de la demeure, est carbonisé. J'étais cette demeure aux fenêtres béant sur le vide, sur le malheur, sur la désolation.

Pour un homme surpris dans le plus coupable adultère, le traitement que Pierre venait de subir aurait été une peine assez grande. Ce que les autres méritent pour leur forfaiture, il l'avait encouru par l'union où il avait voulu chercher réparation à ses torts. Ce que les femmes coupables attirent à leur complice, c'était son épouse qui le lui avait attiré! Malheureuse, disais-je, d'être venue au monde pour être la cause d'un tel crime! Les femmes seront donc toujours le fléau des hommes?

Dans mon âme, c'était le chaos, dans mon cœur, la ruine. Vous savez, Seigneur, que, pendant des années, de longues années de fiel et de torture, j'ai continué, en secret, à me dresser contre Vos arrêts. Je ne pouvais me soumettre, je ne pouvais me résigner!

Depuis la mort de Pierre, depuis que je peux, quotidiennement, me recueillir sur sa tombe, un commencement d'acceptation s'est fait en moi. Aujourd'hui, il me faut renoncer à toute revendication, m'incliner devant Votre volonté, faire la paix avec Vous, enfin! Par un chemin escarpé, semé de ronces et de silex tranchants, Vous m'y avez préparée. Suis-je parvenue au bout de la route? Avant de disparaître, j'ai voulu faire revivre mes douces années; maintenant, il me faut aborder les années de malheur. En suivant à nouveau ma trace, peut-être trouverai-je la voie du salut?

Après le drame, Pierre et moi souffrîmes de façon identique. Toi, mon amour, dans ta chair et ta fierté. Moi, dans mon culte pour toi et dans mon âme déchirée. Je devinais quel martyre était le tien. On m'avait raconté que, dès le lendemain matin, la ville entière s'était trouvée rassemblée autour de ta maison. Stupeur, lamentations, cris, gémissements parvenaient jusqu'à toi. L'évêque de Paris, les chanoines les plus en vue, les femmes dont tu avais été l'idole et tous les habitants de la cité pleuraient sur ton désastre. Tes élèves, tout particulièrement tes disciples, t'importunaient de leurs doléances. « Je souffrais plus de leur compassion que de ma blessure; je sentais ma honte plus que ma mutilation; j'étais plus accablé par la confusion que par la douleur », as-tu écrit plus tard. Je le pressentais avant que tu ne l'aies reconnu. Je te connaissais si intimement, Pierre!

Je devinais quel sentiment de dégradation, de souillure, de déchéance devait te ronger. Ta gloire avilie, ridiculisée, perdue, te poursuivrait partout de ses vestiges. Où te cacher? Comment paraître en public? Tu allais être montré du doigt par tout le monde, honni comme une sorte de monstre. Toi, si fier, tu n'étais plus un homme! Le récit d'un préjudice si singulier serait vite connu du pays tout entier. Je partageais presque physiquement ton anxiété, ton épouvante. Et je ne pouvais rien pour toi, rien! Cette évidence m'était un fer rouge!

Deux jours d'agonie s'écoulèrent sans que je sorte de mon état de prostration. Je reçus alors un mot de toi. Tu me demandais de venir te trouver. Je partis aussitôt.

Sibyle, qui m'avait apporté ton message et conduit ma jument, m'apprit en chemin que deux de tes tortionnaires avaient été pris. On leur avait infligé le même traitement qu'ils t'avaient imposé. En outre, on leur avait crevé les yeux. Quant à Fulbert, condamné par l'évêque et les chanoines de Paris, dépossédé de tous ses biens, il demeurait, présentement, en prison.

Je ne m'attardai pas aux justes punitions de ces traîtres. Leur forfait ne pouvait être réparé.

Je gagnai directement ta maison.

Dans la chambre où l'on m'introduisit, il y avait un médecin et deux aides. En m'apercevant, ils se retirèrent, non sans avoir recommandé que notre entretien fût bref, à cause de ton extrême fatigue.

Quand je te vis, pâle et exsangue sur ta couche, je me sentis devenir glacée comme si j'allais mourir, là, près de ton lit, sans forces et sans secours. Tu me tendis la main. Dans ton geste, je dépistai une ombre d'appréhension. De moi aussi, tu pouvais donc douter?

« Dieu m'a frappé dans mon corps, parce que c'était

lui qui avait péché, dis-tu en fixant sur moi un regard sans lumière. Je méritais cette sanction.

– Non, m'écriai-je, non, Pierre, rien ne justifiait un sort si inhumain! »

Tu me considéras attentivement, non sans une sorte de tendre réprobation.

« Je vois que tu n'as pas encore accepté le jugement du Seigneur, constatas-tu comme si tu avais prévu ma réaction. Immédiatement après l'attentat dont je fus la victime, moi aussi, je pensai ainsi que toi. Je criai à l'injustice. Depuis lors, vois-tu, j'ai beaucoup réfléchi. J'en suis venu à une conclusion qui me semble évidente : mon comportement forcené devait, à un moment ou à un autre, m'attirer des représailles sévères. En y songeant, Dieu aurait pu se montrer beaucoup plus implacable. N'avais-je pas, en toute connaissance de cause, violé toutes ses lois? Il eût pu me condamner à la damnation éternelle et me laisser mourir en état de péché mortel. Il ne l'a pas voulu.

– Nous nous aimions!

– L'amour charnel n'excuse pas tout. Nous sombrions dans la luxure. Rappelle-toi!

– Hélas!

– Ne regrette pas nos erreurs criminelles, examine, plutôt, les mystérieux desseins de la divine Providence : sa miséricorde fait tourner en régénération les arrêts de sa justice. La blessure infligée à ma chair va guérir nos deux âmes à la fois. Il nous faudra dorénavant, Héloïse, nous aimer autrement. »

Ton expression changea encore. Tes yeux se firent plus doux.

« J'ai quelque chose de grave, mais d'exaltant à te proposer », repris-tu en serrant ma main dans la tienne.

As-tu jamais mesuré, Pierre, ce qu'était le sacrifice que tu réclamais de moi? Je venais d'avoir dix-neuf ans, je t'aimais de tout mon être, j'étais ton épouse et je n'avais pas la vocation religieuse. Tu savais tout cela, et tu me demandais de renoncer à ma jeunesse, à ma passion, à la vie commune que nous pouvions mener en dépit de ta mutilation, pour m'inciter à prendre le voile, à enfouir mon existence dans un couvent!

« Je me ferai moine, tu te feras bénédictine, disais-tu cependant avec enthousiasme. Séparées par le fer, nos vies seront réunies par la prière. »

Je voyais un abîme s'ouvrir sous mes pas.

« Si tu n'acceptes pas ma proposition, continuais-tu, je ne pourrai pas entrer dans les ordres. »

Je connaissais, en effet, la règle qui veut que les personnes mariées ne puissent quitter le monde que du consentement de leur conjoint, et à condition qu'il fasse, lui aussi, profession monastique.

« Je n'ai plus d'autre espérance, dis-tu encore. Ma paix repose entre tes mains. »

Une chape de plomb m'enserrait. Me faire religieuse! Je frissonnai. Là n'était pas ma voie. J'étais faite pour les joies humaines et leurs accomplissements. Je te considérai alors d'un regard désespéré. Je te vis sans couleur, malade d'humiliation, attendant de moi ton salut. Je me rappelai l'engagement pris vis-à-vis de moi-même au début de notre amour : t'obéir en tout, à jamais! En me renonçant, en m'ensevelissant dans un cloître, sur un simple signe de toi, n'avais-je pas une occasion sans seconde de te prouver ma fidélité, le don total que je t'avais fait?

Une sorte d'ivresse expiatoire, de vertige sacrificateur s'empara de moi.

Afin de te montrer que tu étais le maître unique de mon cœur aussi bien que de mon corps, je prendrais, sur ton ordre, un autre habit et un autre cœur. Tandis que je goûtais avec toi les plaisirs des sens, on avait pu se demander si c'était la voie de l'amour que je suivais ou celle de la volupté. On verrait donc, maintenant, à quels sentiments j'avais, dès le principe, obéi. Ce que tu avais souffert physiquement, je l'éprouverais, moi, comme il est juste, par la contrition, durant toute ma vie. Ainsi, je t'offrirais, à toi, sinon à Dieu, une espèce de réparation. Ainsi seraient rachetées les fautes que j'avais commises en t'aimant, en acceptant de t'épouser, en t'asservissant, toi qui m'étais plus cher que tout.

Ne serait-ce pas aussi une nouvelle et ultime preuve de mon attachement que j'aurais de la sorte la possibilité de te fournir, puisque je n'en avais plus aucune autre à ma disposition ?

Jadis, sur un appel de toi, je m'étais jetée dans tes bras sans rien te refuser; aujourd'hui, sur un autre appel, je me condamnerais aux austérités de la vie monastique. Ainsi donc, je me ferais religieuse pour la même raison et dans la même intention que j'étais devenue ta maîtresse et ta femme : par obéissance !

« Il en sera fait selon ton vœu, Pierre », dis-je en m'agenouillant à ton chevet.

Tu ébauchas un sourire et posas ta main sur ma tête, en un geste de possession, de bénédiction aussi.

Dieu ! Comme je souhaitais, en cet instant, mourir sur place, près de toi que j'allais, par soumission à ta volonté, quitter pour toujours ! Quoi qu'il te soit advenu, en effet, si tu ne l'avais pas exigé, je n'aurais jamais songé à me séparer de toi. Ne t'aimais-je pas tout autant dans l'adversité que dans le bonheur ? Qu'importaient, après tout, les voluptés perdues ? Ce n'était pas le plaisir que j'aimais en ta personne, c'était ton être seul que j'adorais dans nos plaisirs. Tu étais vivant. Tu me restais. Une longue vie de tendresse pouvait encore se concevoir. Nous aurions vieilli l'un près de l'autre, sans cesser de nous chérir.

Seigneur ! C'était possible, et j'entrais au couvent !

En me perdant, jadis, afin de te plaire, je n'avais pas de mérite puisque ton désir et le mien coïncidaient. En revanche, ma prise d'habit irait bien plus avant ! Ce n'était plus de l'amour, c'était de la folie. Dans l'excès même de mon idolâtrie, je te sacrifiais sans espoir de te recouvrer jamais, toi qui étais l'unique objet de mon adoration ! Ce fut donc par un mouvement passionné que je décidai de me vouer au cloître : n'était-ce pas le seul moyen dont je disposais encore pour achever de me donner à toi?

« Il me reste un sacrifice à te demander, repris-tu au bout d'un temps de silence que j'avais passé à genoux, plongée dans une amère méditation. Un dernier geste d'abnégation, Héloïse.

– Je t'écoute.

– J'aimerais que tu embrasses la règle monastique, tout de suite, avant moi. Retenu au lit pour de longs jours, je me vois dans l'incapacité de m'enfermer sur l'heure dans un couvent. Il me serait doux que tu sois la première à tracer notre route. »

Je ne croyais pourtant pas pouvoir supporter un accroissement d'affliction. Je me trompais. J'ai, pour souffrir, des réserves infinies. Une déception à goût de fiel venait s'ajouter à ma désolation. Ainsi, tu doutais bien de moi! Cette méfiance, je l'avoue, me pénétra de douleur et de honte.

Moi, qui venais de me décider à entrer dans les ordres, sans vocation, parce que tu le désirais, tu pouvais me suspecter? De quoi, mon Dieu? Ne savais-tu pas qu'aucun autre homme n'existait, n'existerait jamais à mes yeux?

Je me relevai, sans forces.

« Je te précéderai donc au couvent, dis-je avec docilité. Je vais m'en ouvrir, dès ce jour, à la mère abbesse. »

Tu souris plus franchement, cette fois-ci, avant de me prendre les mains que tu tins un moment serrées entre les tiennes. Je me penchai vers toi, te baisai au front et m'en allai. Ton médecin avait des soins à te prodiguer.

Je ne sais plus comment je rejoignis Argenteuil. Sous l'effet du choc que je venais de subir, j'étais vide de pensée. Un brouillard gris s'étendait entre la nature et moi. Je ne conservais plus l'impression d'être vivante. Il me semblait flotter dans une ombre maléfique.

Dès mon arrivée, je parlai à l'abbesse, lui offris de faire partie de son troupeau. Elle ne me repoussa pas.

Le lendemain, je mis le bandeau de lin et le voile noir des professes, brodé d'une croix blanche au sommet de la tête. J'étais, définitivement, marquée au front du signe de Dieu!

Seigneur, Seigneur, voici le moment le plus redouté! Ce n'est pas pour Vous que je me suis faite religieuse, mais pour Pierre. Me le pardonnerez-Vous? Je renonçais au monde, non pour Vous ou pour expier des fautes commises contre Vous, mais pour mon époux, pour partager sa peine, pour m'offrir en holocauste à la gloire souillée du génie dont j'avais causé la déchéance!

Je n'ai pas de récompense à attendre de Vous, Seigneur, je n'ai rien fait pour Vous. C'était à Pierre, bien plus qu'à Vous-même, que j'avais le désir de plaire.

Faites-moi grâce, mon Dieu! Vous le savez, je n'avais pas la vocation. J'étais faite pour être l'épouse d'Abélard, non une de Vos servantes. J'étais sa femme devant Vous et devant les hommes, Vous l'aviez permis, nous avions un fils, je ne me sentais à ma place qu'auprès de lui... Il m'aura fallu plus de quarante ans de vie monacale pour devenir autre chose qu'une créature condamnée par un autre à Vous servir, ô mon Dieu! Jusqu'à ma mort, je n'aurai jamais trouvé la force de Vous aimer plus que Pierre, pardessus toute chose, ainsi que je le devais. Votre appel ne se faisait pas entendre. J'ai su très vite que Vous ne me demandiez pas ce don : un autre l'exigeait! Ce fut là mon calvaire : trouver dans mon amour terrestre le courage de mener une vie d'abnégation qui n'avait de sens, qui n'était réalisable qu'en fonction de Votre amour!

Seigneur, au long de toutes ces années consacrées à Votre service, je ne me refusais pas à Vous. Vous le savez. C'est Vous qui Vous dérobiez à moi. Mes macérations, mes pénitences, mes privations ne parvenaient pas à arracher de moi le souvenir du passé. Il m'aurait fallu Votre aide. Vous ne me l'accordiez pas.

Me sentant couler, je me raccrochais désespérément à la seule vénération qui m'était laissée. Non seulement je ne faisais rien pour Vous, mais je ne me sentais même plus capable de me racheter. Ce fut un désert que je traversai. Je me répétais que l'intention compte seule. Or pas un de mes renoncements ne Vous était offert : ils l'étaient tous à Pierre. J'avais conscience de me damner!

Voici que je suis inondée d'une sueur d'angoisse.

Au fond de mon âme, Seigneur, je me plaignais cependant, Vous ne l'ignorez pas, faisant pénitence pour mon époux, de ne pas faire aussi pénitence pour Vous! Comment concilier Votre amour et son amour? Toute ma vie je me suis heurtée à cette question.

C'était elle, déjà, qui sourdait en moi au moment de ma prise de voile.

Nous étions au début de septembre. Un an plus tôt, Pierre et moi partions pour la Bretagne. J'attendais notre enfant. La vie s'offrait à notre faim comme une table plantureuse. Je ne doutais pas de notre avenir. Et, soudain, tout était consommé.

Je me souviens qu'il tombait une averse légère, que les œillets disposés dans des vases, de chaque côté de l'autel, dégageaient l'odeur puissante des fleurs humides de pluie.

Quelques parents, quelques amis, venus pour assister à la cérémonie, tentèrent de me détourner d'une existence d'austérité dont ils savaient ma nature fort éloignée. Je ne les écoutais pas. On s'apitoyait sur mon sort, je demeurais inébranlable. Je ne pouvais, pour autant, retenir mes pleurs. En dépit de ma fermeté, qu'on qualifiait d'héroïque, de ma volonté tendue comme un arc, et du courage dont j'avais fait preuve jusque-là, les sanglots m'étouffaient.

Quand le moment de ma profession de foi fut venu, je parvins cependant à retenir mes larmes pour marcher d'un pas assuré vers l'autel. Un passage des plaintes de la Cornélie de Lucain m'obsédait. Ce fut donc en le récitant que j'avançai.

« O mon noble époux, toi qui ne méritais pas cette union avec moi, la fortune avait donc un tel pouvoir sur une tête aussi auguste? Pourquoi ai-je eu l'audace de t'épouser si je devais faire ton malheur? Reçois en expiation ce châtiment au-devant duquel je veux aller! »

Je me voulais stoïque comme une héroïne antique, mais mon cœur était dévasté.

L'évêque me remit alors le voile bénit. Je m'en coiffai et prononçai publiquement le serment de profession monastique.

Quelques jours après, à peine rétabli, tu revêtais à ton tour, Pierre, l'habit religieux dans l'abbaye de Saint-Denis.

Notre long cheminement hors du monde commençait, Seigneur. Puis-je espérer qu'il me conduisait, à mon insu, vers Vous?

16 MAI 1164

LA nuit devenait plus claire. Avec l'approche du jour, elle se décolorait vers l'est. Soudain, un chant d'oiseau rompit le silence nocturne, puis un autre. Ce fut bientôt une aubade. Pépiements, gazouillis, sifflements, roucoulades jaillissaient de partout.

La cloche de l'oratoire sonna matines presque aussitôt. La voix de bronze éparpilla, pour un instant, le concert des ramages.

Pour les moniales qui n'avaient pas cessé de prier depuis la veille, l'office de l'aube, qui était bref, s'enchaînait sans effort, s'insérait de lui-même dans la trame serrée des oraisons.

Le tintement de la cloche réservée aux exercices pénétra dans l'infirmerie avec une brise plus fraîche, tirant les assistants de leurs rêveries ou de leur ferveur. La tension qui les tenait éveillés, tels des guetteurs aux créneaux, relâcha un peu son emprise.

La prieure tourna les yeux vers la fenêtre afin de constater que la nuit s'achevait.

« Un autre jour commence, songea-t-elle. Notre mère le vivra-t-elle jusqu'au bout? »

Sœur Margue jeta deux bûches de résineux dans la cheminée. Elle savait d'expérience que les moribonds craignent le froid, à cette heure indécise qui est leur mauvaise heure.

Mère Ermeline, la maîtresse des novices, mit son chapelet dans sa poche. Elle avait envie de prier comme on parle, non plus comme on récite.

Dame Adélaïde, sa sœur, se redressa avec peine.

Ankylosée par sa longue station à genoux, elle souffrait des reins et eût souhaité s'asseoir. Mais il lui parut indécent de faire montre de lassitude au chevet d'une amie qui se mourait. Par solidarité, par affection, elle se refusait à prendre, seule, du repos. Avec un soupir, où le chagrin et la fatigue se mêlaient de façon indiscernable, elle continua ses litanies.

Dame Guenièvre, elle, ne s'embarrassa pas de semblable délicatesse. Non sans difficulté, elle se mit debout et fit quelques pas devant les lits vides afin de se dégourdir. Le bruit de son manteau de soie vineuse la suivait comme un murmure.

Pierre-Astralabe, indifférent à cette agitation, ne broncha pas. Son ardente imploration le rendait insensible à la marche du jour. Enveloppé de sa chape, agenouillé à même le sol, on l'eût dit sculpté dans quelque lave noire. Dame Guenièvre le considéra un moment avec intérêt. Voyant qu'il ne lui prêtait pas la moindre attention, elle alla vers la fenêtre pour respirer l'air frais. Au levant, le ciel était gris de perle. Les chants d'oiseaux, une fois la cloche muette, reprenaient, étourdissants.

« Nous voici au début d'un beau dimanche de mai, se dit la visiteuse. Héloïse le passera-t-elle? C'est peu probable. Son visage cerné d'ombre indique assez qu'elle parvient au terme du voyage. J'imagine que la mort lui semble douce, qui va la réunir enfin à messire Abélard! Si, toutefois, ils le sont... Leurs fautes passées ne méritent-elles pas la plus sévère des expiations? Destin cruel! Ne seront-ils pas, à la fois, privés de Dieu et d'eux-mêmes? »

La femme de l'orfèvre se pencha pour suivre du regard deux prunelles phosphorescentes qui brillaient sous les feuilles au pied du mur du jardin.

« Une âme simple tremblerait à cette vue, pensa-t-elle. L'atmosphère de cette veillée porte au merveilleux! L'approche de la fin réveille en nous des terreurs secrètes. En réalité, ce n'est qu'un chat qui se promène! »

Elle s'accota plus commodément contre le rebord de la croisée.

« Notre Héloïse paraissait tout à l'heure en proie à une terrible contradiction, reprit-elle, plongée dans sa songerie. A qui s'adressaient ses dénégations? Prend-elle enfin conscience de l'égoïsme sans excuse de celui qui la jeta par esprit de possession, alors qu'elle n'avait pas vingt ans, au fond d'un monastère? Rien ne me permet de le supposer. Les fameuses lettres qu'elle écrivit, voici une trentaine d'années, à messire Abélard, n'étaient que de longs cris d'adoration. On en a beaucoup parlé. J'ai eu l'occasion de prendre connaissance d'une copie de cette correspondance. Jamais cœur de femme ne s'est livré comme celui-là. Elle a flambé comme une torche : ses lignes étaient de feu! Je dois admettre que j'ai été jalouse, malgré les malheurs qui l'ont suivi, d'un amour de cette envergure. Beaucoup de mes amies m'ont avoué l'avoir été aussi... Maintenant, après tant de lustres, que reste-t-il de cette frénésie? Les épreuves de tous ordres qu'Héloïse a dû traverser l'ont-elles assagie? Comment le croire? Un être de cette trempe, un caractère aussi indomptable que le sien, ne renie pas un passé qui l'a auréolé d'une telle gloire. Il est certainement plus logique de supposer qu'elle se soit, en quelque sorte, complu dans sa détresse, qu'elle en ait cultivé l'amertume, qu'elle s'y soit obstinée... Je serais portée à croire, en y réfléchissant, qu'elle s'est appliquée, tout au long des jours, à maintenir à tout prix une attitude héroïque qui fut certainement spontanée au commencement de son épreuve, mais que les ans raidirent peu à peu. Une chose est certaine, en tout cas : elle ne s'est jamais démentie... Qu'importe, au fond? Même si elle a goûté une douloureuse satisfaction à entretenir ses maux en même temps que le culte de son amant, il n'en reste pas moins qu'elle a vécu une aventure exceptionnelle! Sa sincérité initiale ne saurait être mise en doute. Personne, d'ailleurs, n'y a jamais songé. Cette créature brisée qui gît là, sur ce lit de moniale, est une des plus grandes amoureuses de tous les temps! Peut-être la plus grande... Les autres amantes célèbres, les plus folles, n'ont donné qu'elles-mêmes, leur existence, leurs biens, leur destinée. Héloïse, elle, a engagé sa vie éternelle, en le sachant, son âme et son salut! »

Dame Guenièvre frissonna. Etait-ce la fraîcheur de l'aube qui la glaçait soudain ou le froid insinuant d'un regret? Elle se tourna à demi pour considérer la mourante. Sur le visage aux yeux clos, sur ces traits où chacun était habitué à lire la force, le courage, l'équilibre, se dessinaient enfin, superposés au masque de vertu volontairement imposé, les stigmates de l'anxiété. D'une anxiété ravageante. Les défenses de l'abbesse cédaient une à une. Lambeaux par lambeaux, la révérendissime mère du Paraclet se défaisait de son personnage.

Les dix années que j'ai passées à Argenteuil furent les plus mornes, les plus désertiques de ma vie. En moi, Pierre, tout était dévastation. Je vivais dans un état de sécheresse spirituelle qu'aucun réconfort ne venait adoucir. Dieu s'était détourné de moi. Toi aussi.

Te rappelles-tu, mon amour, que je t'écrivis plus tard : « Dis-moi seulement, si tu le peux, pourquoi, après notre commune entrée en religion, que toi seul avais décidée, je suis tombée en un tel délaissement et en un tel oubli qu'il ne m'a été donné ni de t'entendre pour retremper mon courage, ni de te lire pour me consoler de ton absence... » Cette plainte ne cessait de retentir en moi.

Quand je songe à ce que fut, minute par minute, heure par heure, jour par jour, ce chemin de croix, je remercie la Providence d'être enfin parvenue au terme, tant souhaité, d'une si lamentable existence. Durant ces années veuves de toi, je pressentis ce que sont les affres des damnés : la privation sans fin, sans espérance, de l'Etre aimé!

Ce fut mon plus dur passage. Je n'étais pas résignée (l'ai-je jamais été?) et je ne savais plus rien de toi. Plus tard, au Paraclet, je te retrouvai comme conseiller, comme directeur. Je m'efforçai de suivre tes préceptes. Je n'étais plus aussi seule. A défaut de l'amant, de l'époux, l'ami me restait. A Argenteuil, rien ni personne ne me vint en aide. Le temps m'était de plomb. Pour fuir ma solitude, je travaillais comme une forcenée. Je ne voyais pas d'autre dérivatif pour un caractère comme le mien. Tu sais que je ne suis pas de ceux qui acceptent passivement les défaites.

Outre l'étude des Livres saints, je me consacrais à l'éducation des religieuses désireuses de s'instruire, à celle des novices et des enfants élevées au couvent comme je l'avais été autrefois. Je ne dédaignais pas, pour autant, les tâches manuelles : je filais la laine, je maniais la quenouille, je tissais, cousais, brodais...

Hélas! ces occupations incessantes ne parvenaient pas à m'empêcher de songer. Ton silence me déchirait. Au début, le faible espoir de ton intervention imminente m'avait soutenue. Au fil du temps, je compris qu'il n'y avait rien à attendre de toi. Ma déception fut atroce. Je me dis que tu m'avais abandonnée pour toujours, que tu te désintéressais de mon sort, que tu ne pensais même plus à celle que tu avais si vite oubliée... Je suivis alors, étape par étape, un cheminement désespéré qui me conduisit au plus complet dénuement moral.

Cependant, je ne voulais pas t'accabler, Pierre; je luttais contre la tentation de t'accuser de reniement et de parjure. Il me fallait trouver des explications à ta conduite. En dépit de mes résistances, le doute s'infiltra lentement en moi, je l'avoue. Il fit mon siège et me persuada que tu ne m'avais jamais aimée, que la concupiscence plutôt que la tendresse t'avait attaché à moi, l'ardeur des sens plus que l'amour. Tes désirs une fois éteints, les démonstrations qu'ils inspiraient s'étaient évanouies avec eux.

Cette opinion vénéneuse, je n'étais pas la seule à la concevoir. Par des allusions ou des sous-entendus, quelques-unes de mes compagnes, certains des parents qui venaient me visiter, me laissaient entendre que c'était là un sentiment fort répandu. Je protestais avec ce qui me restait de véhémence. Au fond de mon cœur, pourtant, le doute distillait ses poisons.

Pourquoi, Pierre, m'avoir laissée sans un simple mot d'encouragement, de consolation, ou même de direction?

Bien des années plus tard, alors que j'étais au Paraclet, tu te justifias de cet abandon. Tu prétendis que ce n'était pas à la négligence qu'il fallait attribuer ce manque d'assistance, mais à ma propre sagesse en laquelle tu avais toujours eu une confiance absolue. Se peut-il que tu m'aies si mal connue?

Si je pouvais, en effet, donner à ceux qui me voyaient l'impression d'une vie édifiante, comment pouvais-tu, toi, t'y laisser prendre? On vantait ma chasteté : c'est qu'on ignorait mon hypocrisie! On portait au compte de la vertu la pureté de la chair, comme si la vertu était l'affaire du corps et non celle de l'âme!

Pendant que j'œuvrais pieusement à mes devoirs, les démons de l'enfer hurlaient en moi. Je te l'ai dit, Pierre, quand j'ai pu correspondre de nouveau avec toi. La vérité t'a effrayé. J'estime, moi, qu'il faut avoir le courage de la regarder en face!

Les voluptés que nous avions connues ensemble m'avaient été si douces que je ne pouvais ni m'empêcher d'en aimer le souvenir ni l'effacer de ma mémoire. Elles se présentaient toujours à moi, s'imposaient à mes regards avec les désirs qu'elles réveillaient. Il n'était pas jusqu'à la solennité de la messe, là où la prière doit être si limpide, pendant laquelle les images licencieuses de ces plaisirs ne s'emparassent si bien de ce misérable cœur que j'étais plus occupée de leurs turpitudes que d'oraison. J'aurais dû gémir des fautes que j'avais commises, et je soupirais après celles que je ne pouvais plus commettre!

J'en venais à penser que Dieu, en semblant te traiter avec rigueur, s'était montré, en réalité, secourable à ton égard : tel le médecin qui ne craint pas de faire souffrir son malade pour assurer sa guérison. Une seule blessure de ton corps, en apaisant en toi ces aiguillons du désir, avait guéri toutes les plaies de ton âme. Chez moi, au contraire, les feux d'une jeunesse ardente au plaisir et l'expérience des plus suaves satisfactions irritaient cette faim charnelle. Je redoutais l'approche de chaque nuit, tant les tentations qui m'assaillaient se faisaient alors précises. Les heures nocturnes du printemps et de l'été me mettaient particulièrement au supplice! Tantôt sacrifiant à mes imaginations les plus audacieuses, tantôt luttant et priant dans les larmes, j'étais dévastée dans ma chair où tout me devenait appel et dégoût! Quand, enfin, je parvenais à m'endormir, mon corps avide, mon corps frustré ne trouvait qu'un misérable repos.

En plus de tant de souillures, il me fallait encore offenser Dieu par mon insoumission. Je vivais en constant état de révolte. Je ne pouvais, Seigneur, me résoudre à Vous pardonner l'enchaînement implacable de nos offenses et de Votre justice! Les pénitences que je m'imposais ne pouvaient, en aucune façon, Vous satisfaire, ni ma contrition être parfaite tant que je me refusais à accepter le bien-fondé de Votre sanction! Quels qu'aient été les traitements que je m'infligeais pour dompter mon désir, mes macérations ne servaient de rien tant que je conservais au fond de moi le goût d'un péché que tout mon être réclamait! Mes actions pouvaient bien paraître sans tache, mes instincts, mes songeries n'étaient qu'impureté!

On ne me jugeait donc que sur des apparrences : on voyait mes œuvres, on ignorait mes sentiments.

Vous étiez seul, Seigneur, à savoir, à connaître, à mesurer. Cette existence de misère qui était mienne, Vous ne pouviez m'en tenir compte, puisque ce n'était pas pour Vous que je la menais. Ne faisant pas tout pour Vous, je ne faisais rien pour Vous! Je me sentais condamnée dans mes pensées les plus secrètes et dans toutes mes intentions.

Ton silence, Pierre, alors que c'était pour toi que je vivais dans une si profonde débâcle morale, achevait de m'accabler. Je me demandais jusqu'à quand j'aurais l'énergie de sauver la face, lorsqu'une charge nouvelle, qu'on m'imposa, me vint soudain en aide.

Trois ans après mon entrée au couvent, je fus nommée prieure. L'application extérieure que j'avais apportée aux devoirs de mon état m'attira cet honneur. Tout en estimant que je ne le méritais pas, tant par mon âge que par mes dispositions intimes, je l'acceptai pourtant avec reconnaissance. Je pressentais que la très sérieuse responsabilité qui m'incombait de la sorte demeurait l'unique chance que j'avais de ne pas sombrer dans l'abomination. Avec ma persévérance coutumière, je me cramponnai donc à cette planche de salut.

En plus des fonctions pédagogiques que j'assumais déjà, j'eus aussi à m'occuper de l'économie et de l'organisation intérieure du couvent, de l'administration de ses biens, et des revenus qu'on pouvait en attendre. La reine Adélaïde, lors de la restauration du monastère, l'avait richement doté de terres et de propriétés. Beaucoup d'autres donations étaient venues, depuis plus de cent ans, grossir notre domaine. Nos possessions composaient donc un ensemble complexe dont la gestion me revenait. Ce n'était pas une mince entreprise! Je me jetai aussitôt avec zèle dans mes nouvelles fonctions. Il me fallait user mes forces, rompre mon corps, occuper mon esprit à ces travaux dont je n'avais pas l'habitude. Peut-être, ainsi, parviendrais-je à museler mes démons? Je ne me trouvais jamais assez d'ouvrage, et je réclamais sans cesse un surplus de besogne.

Mes moins mauvaises heures, celles où je parvenais presque à m'oublier, étaient celles que je passais dans la bibliothèque du couvent. Ayant à veiller à la copie et à l'enluminure des manuscrits, j'avais la faculté de me plonger tout à mon aise dans les écrits des Pères de l'Eglise ou dans ceux des philosophes grecs et latins que j'aimais tant. Pendant ces dix années de pénitence, je ne connus pas d'autres éclaircies que les moments que je passais penchée sur des parchemins.

De toi, je ne recevais aucun signe, Pierre! Cependant, si je souffrais une véritable passion à me sentir ainsi rejetée de tes préoccupations, je suivais, grâce à la rumeur publique et par ouï-dire, tes nouvelles tribulations.

Les difficultés sans nombre qui ne cessaient de surgir sous chacun de tes pas, les périls que tu encourais, l'hostilité des uns, la faveur croissante des autres, m'étaient connus dans tous leurs détails et je ne me lassais pas de les entendre conter.

Bien vite, hélas! il me fallut trembler pour toi. La fatalité de ton génie, en effet, te poussait de manière infaillible aux audaces les plus provocantes et tu ne tardas pas à réveiller les haines que tes malheurs avaient assoupies.

Dès que tu fus moine, tu le fus totalement. Ta nature généreuse abominait les compromissions, les réserves, les demi-mesures. Sûr de ton intelligence et de ta foi, tu entendais anéantir tes adversaires, et avoir raison d'eux, quoi qu'il pût t'en coûter! Cette intrépidité même te condamnait. Ta pensée volait plus haut, allait plus loin que celle de tes rivaux. Ils ne te le pardonnèrent pas.

Il me semble néanmoins équitable de reconnaître, malgré la vénération que je te porte, que ton intransigeance te fit beaucoup de tort. Il me semble que tu aurais dû éviter de multiplier les provocations. Tout au contraire, tu paraissais éprouver une sorte de délectation à exciter les esprits contre toi. Ne pouvant supporter la contradiction, ta nature impatiente et combative tirait une âpre satisfaction des luttes quotidiennes qu'il te fallait livrer contre des rivaux et où tu gagnais presque à tous coups.

Pour commencer, tu voulus réformer les mœurs des moines du monastère où tu t'étais retiré. A Saint-Denis, tu ne manquas pas une occasion de reprocher, soit en public, soit en privé, ce que tu estimais être la mauvaise conduite de tes frères et même de l'abbé. Tes critiques les exaspérèrent. Comme tes clercs et tes anciens disciples te harcelaient de leurs supplications, depuis ta guérison, pour que tu reprisses tes cours dont ils gardaient la nostalgie, les moines virent là une possibilité de se débarrasser d'un censeur qui leur était à charge. Ils te conseillèrent de céder aux implorations de tes étudiants. Tu acceptas donc de reprendre tes conférences. Pour ce faire, tu t'installas dans un prieuré non loin de Provins et y ouvrit une école où tu te mis, de nouveau, à enseigner la philosophie et la théologie.

Ton succès fut immense. Les échos en vinrent jusqu'à moi. J'entendais chacun vanter tes dons, que je connaissais si bien, d'orateur, de philosophe, de pédagogue. Ainsi donc, ta mutilation n'avait pas détourné de toi ceux qui goûtaient ton enseignement! Ton prestige conservait tout son éclat. Pourquoi, alors, t'être fait moine? Pourquoi avoir renoncé à toute vie personnelle? Pourquoi m'avoir sacrifiée?

Dans la solitude de ma cellule, alors que mes compagnes dormaient, je passais des nuits entières à me poser des questions auxquelles nul ne répondait. Le visage encore raviné de larmes, je reprenais, avec le jour, mon rôle et mon fardeau.

Cependant, le bruit de tes querelles suivit bientôt celui de tes triomphes. Il en avait été de même avant nos amours, il en fut ainsi jusqu'à la fin de ta vie. Ton destin était de respirer au milieu des orages et d'être, plusieurs fois, foudroyé!

Tes cours jouirent, en effet, très vite d'une telle réputation que les élèves des autres écoles ne tardèrent pas à quitter leurs propres maîtres pour venir travailler sous ta direction. Bien entendu, ces abandons massifs excitèrent contre toi la jalousie et l'inimitié de ceux qu'on délaissait pour toi sans plus de façons. Parmi eux, se trouvaient justement deux de tes anciens condisciples et rivaux de toujours : Albéric de Reims et Lotulphe de Lombardie. Ils cherchèrent par tous les moyens à te faire interdire l'exercice d'une profession où tu brillais sans partage. Pour ce faire, ils dressaient contre toi les évêques, archevêques et abbés de leur connaissance.

Sur ces entrefaites, tes élèves te demandèrent

d'écrire un traité sur *L'Unité et la Trinité divines*. Tu le fis avec le brillant, la clarté, la hardiesse qui t'ont toujours été propres. Hélas! tes ennemis profitèrent de la réussite de ton livre pour tenter de t'infliger une mortification publique. Albéric et Lotulphe, qui tenaient tous deux école à Reims, déterminèrent leur archevêque à réclamer la réunion d'un concile restreint à Soissons, sous la présidence de Conan, légat du pape en France. Il ne s'agissait de rien de moins que d'accuser ton traité d'hérésie!

Ils t'invitèrent donc à leur apporter ton fameux ouvrage afin qu'il soit examiné par cette assemblée qualifiée. Une campagne de calomnies, adroitement montée par eux, avait prévenu en ta défaveur la ville et le clergé. A mon grand effroi, on me conta même que la foule faillit te lapider lors de ton arrivée dans les murs de Soissons.

Payant d'audace, tu allas sans plus attendre trouver le légat, tu lui remis ton livre et lui déclaras être prêt à corriger tout ce qu'il y trouverait de contraire aux dogmes. Malheureusement, ce prélat, qui était de nature pusillanime, t'enjoignit de porter l'ouvrage à l'archevêque que secondaient tes deux calomniateurs. Ils eurent beau chercher, ils ne découvrirent dans les lignes que tu avais écrites rien qui permît de te condamner. On imagine aisément leur dépit. Furieux de leur échec, ils ajournèrent alors l'affaire à la fin du concile.

Pendant ce temps, te dépensant sans compter, tu pris soin d'exposer à tout venant le sens de tes écrits. Ta conviction et ta bonne foi évidente dissipèrent sans mal les préventions qu'on avait contre toi. Tes auditeurs furent bientôt convaincus de la parfaite orthodoxie de l'œuvre incriminée. L'opinion changea de camp. Ton charme opérant, on commença de penser que tu pourrais bien avoir raison.

Je l'appris et m'en réjouis. Tes ennemis, hélas! le surent également. Et leur exaspération ne fit que croître de plus belle. Poussé dans ses derniers retranchements, Albéric eut l'impudence de venir te trouver en personne. Il tenta de te faire tomber dans les pièges de la dialectique, échoua, et se retira au comble de la rage, la menace à la bouche.

Le dernier jour du concile, tu pus croire ta cause gagnée. Tes détracteurs ne trouvaient toujours rien de positif à te reprocher, et Geoffroy, le saint évêque de Chartres, parla en ta faveur. Il proposa qu'on te questionnât sur l'heure, publiquement. Tu pouvais, de cette manière, te défendre en toute liberté. Tes ennemis refusèrent l'offre de Geoffroy en prétextant ton habileté à discuter et ton adresse à retourner les esprits. L'évêque de Chartres déclara alors que la question réclamait un examen plus approfondi. Il lui semblait préférable que tu rentrasses à Saint-Denis, en attendant qu'on réunît des hommes plus compétents qui examineraient ton traité à loisir. Le légat donna son accord à cette seconde proposition et alla célébrer la messe.

Cet arrangement ne faisait nullement l'affaire d'Albéric et de Lotulphe. Ils comprirent aussitôt que leurs manœuvres risquaient d'avorter si la consultation se passait hors de leur diocèse. Pressés par le temps, ils allèrent donc trouver l'archevêque pour lui représenter que ce serait pour lui un affront de voir cette cause déférée devant un autre tribunal. Ils insinuèrent, en outre, qu'il y aurait danger à te laisser échapper. Dès qu'ils l'eurent convaincu, ils se rendirent auprès du légat et parvinrent sans peine à le faire changer d'avis. C'étaient deux rusés renards et leur interlocuteur l'était beaucoup moins qu'eux! Il fut amené malgré lui à condamner ton livre sans examen, sous le prétexte indéfendable que tu avais osé le lire à la foule et le donner à copier sans la permission du pape ni celle de l'Eglise!

Le légat, qui n'en était pas à une capitulation près, promit également de faire brûler ton traité en public, le plus tôt possible. Il prononça contre toi une peine de réclusion perpétuelle dans un monastère inconnu.

Devant une telle mauvaise foi, il n'y avait qu'à s'incliner. C'est ce que te conseilla Geoffroy de Chartres : accepter la sentence sans récrimination et te soumettre. Que pouvais-tu faire d'autre ? On ne discute pas les décisions d'un si haut personnage. Le bon évêque, aussi désolé que toi, essaya de te réconforter, cependant, en t'assurant que l'injustice dont tu étais la victime t'attirerait la sympathie de beaucoup. Il pensait aussi que le légat, qui agissait par contrainte, s'empresserait de te remettre en liberté dès qu'il aurait quitté Soissons.

C'est ainsi, Pierre, que tu fus amené à subir une offense aussi injustifiée que pénible, alors que ta gloire recommençait de briller ! J'ai suivi, de loin, ton procès. De toute mon âme, je partageais tes souffrances. Je prévoyais quel tourment nouveau cette condamnation de tes pairs devait être pour ta fierté. De toutes mes forces, je souhaitais te venir en aide dans l'adversité. Hélas ! j'étais à jamais écartée de ton chemin !

Le récit qu'on me fit de l'ultime séance du concile me fit beaucoup de mal. En dépit de l'absence, mon cœur demeurait si proche du tien que chaque blessure qui t'atteignait m'était une blessure.

Je sus qu'appelé en salle d'audiences tu te présentas sur-le-champ. Sans qu'on te laissât prononcer un mot de défense, sans autre vérification, on te donna l'ordre de jeter toi-même, de tes propres mains, ton manuscrit au feu. Un silence tragique planait sur l'assistance pendant que tu brûlais ton œuvre. Malgré l'intervention courageuse d'un de tes admirateurs, il n'y eut pas de merci...

Après l'autodafé, quand tu voulus exposer ta foi selon tes méthodes personnelles, tes adversaires s'écrièrent que c'était inutile et qu'il te suffirait de réciter le *Credo* de saint Athanase. Par dérision, ils te firent apporter un texte écrit, comme si tu ne le connaissais pas. Tant de raffinement dans la malveillance et l'iniquité vint à bout de ta résistance. Ce fut d'une voix coupée de sanglots que tu lus le *Credo*. Puis on te remit entre les mains de l'abbé de Saint-Médard, près de Soissons, comme un coupable à son geôlier. Aussitôt après, le concile fut dissous.

Quand on connut cet arrêt odieux, ce fut un tollé général. Je me souviens avec quelle véhémence mes visiteurs m'entretenaient de toute cette affaire. Certains te considéraient ainsi qu'un martyr, d'autres se contentaient de blâmer tes juges. Tous se plaignaient.

Et moi, dans le secret de ma tendresse, je savais que cette pitié te serait plus pénible à endurer que tout le reste. Je m'inquiétais. Comment supporterais-tu ce nouveau trait du sort? La flétrissure dont on avait voulu entacher ton nom devait te brûler comme une marque d'infamie.

En plus de ton silence, j'avais, à présent, ta douleur à assumer!

Cependant, la sentence du concile continuait à faire du bruit. Les membres du synode s'en rejetaient mutuellement la responsabilité, tes accusateurs se défendaient de l'avoir provoquée, et le légat déplorait bien haut l'animosité de notre clergé à ton égard. Touché de repentir, il décida enfin de réparer l'iniquité dont il s'était rendu complice. Il te permit donc de quitter l'abbaye de Saint-Médard pour rejoindre Saint-Denis.

Pendant quelque temps, ta destinée parut s'améliorer. On parlait moins de ce que tu faisais. Le bruit du scandale allait s'atténuant.

De nouveau, je pouvais songer à toi sans éprouver d'autres alarmes que celles qui m'étaient propres.

Cette accalmie ne dura pas. Elle ne pouvait pas durer.

A la suite d'une découverte que tu fis au sujet du pays d'origine du saint patron de ton abbaye, Denys l'Aréopagite, une nouvelle controverse t'opposa à tes frères en religion. Tu les vis tous se dresser contre toi, t'accusant de compromettre la réputation du monastère et même de t'être rendu traître à la France entière, en dénigrant la mémoire d'un saint qui était si cher à tous ses habitants. L'abbé, que tu n'aimais pas et qui te le rendait bien, profita de ce début de conflit pour te menacer, devant tous les moines réunis en conseil de chapitre, de te déférer au roi pour atteinte à la renommée de son royaume.

Emporté par son animosité à ton égard, il alla jusqu'à te faire enfermer et garder à vue comme un dangereux malfaiteur en attendant de te livrer à la justice royale!

Il est certain que notre roi ne t'eût jamais châtié pour un délit de cette espèce, mais la haine de l'abbé ne connaissait plus de mesure.

Quand j'appris l'événement, je ne fus pas surprise. Seulement affligée. N'était-il pas prévisible que ta seule présence en un endroit quelconque amènerait toujours avec elle des scissions? Tu étais, par destination, le levain dans la pâte, le ferment indispensable, mais sans cesse malmené.

Peu de temps après, le bruit courut que tu t'étais évadé, la nuit, de Saint-Denis, grâce à la complicité de quelques moines plus amicaux que les autres et avec l'aide de certains de tes disciples. Je compris que la malveillance qui te poursuivait avec tant d'acharnement t'avait poussé à cette solution de désespoir.

Tu cherchas alors refuge sur les terres du comte Thibaud de Champagne qui t'avait déjà témoigné de l'intérêt, lors de tes récentes infortunes. Ce fut donc au château de Provins que tu trouvas asile, dans une chartreuse de moines de Troyes dont le prieur était de tes amis. T'aimant et t'admirant, il te reçut avec joie.

Malheureusement, malgré ton départ, tu demeurais dépendant de Saint-Denis.

C'est ce que se chargea de répondre au comte Thibaud l'abbé de ce monastère, un jour qu'il était venu rendre visite au puissant seigneur qui prenait fait et cause pour toi. Tu avais, en effet, supplié le comte d'intercéder en ta faveur, et d'obtenir pour toi le pardon avec la permission de vivre monastiquement dans une retraite de ton choix. L'abbé refusa la proposition. Il estimait, de manière paradoxale, que ton prestige était un apport important pour le renom de son couvent, en dépit de l'aversion qu'il éprouvait envers ta personne. Il menaça même de t'excommunier si tu ne te hâtais pas de revenir à Saint-Denis et défendit au généreux prieur qui t'hébergeait de te garder davantage chez lui, sous peine d'être frappé de la même sanction.

Tu en étais là, et les échos de la colère de ton abbé me parvenaient tout juste, quand la nouvelle de sa mort se répandit dans la région. Tu étais enfin délivré de ce supérieur qui te voulait tant de mal! J'en fus soulagée pour toi et vis là un adoucissement de la rigueur divine à notre égard.

Suger, le nouvel et illustre abbé de Saint-Denis, hésitant, lui aussi, à t'accorder la dispense que tu sollicitais, tu te servis de l'influence de certains de tes amis pour présenter ta demande au roi en personne, en son conseil. Louis VI, qui était au courant du relâchement des mœurs qui sévissait alors dans l'abbaye royale, jugea que ton genre de vie ne pouvait se concilier avec celui des autres moines, et tu obtins satisfaction. Toutefois, pour ne pas perdre d'honneur le monastère, il te fut défendu de te placer sous la dépendance d'aucune autre abbaye.

Je vois là le doigt de Dieu. En effet, le Paraclet est né de ces démêlés et de cet interdit.

Ecœuré par tant de mésaventures, tu te retiras alors dans un lieu solitaire que tu connaissais, sur le territoire de Troyes. C'était un endroit écarté, loin de tout village, de toute demeure. Des bois, des prés, une petite rivière courant entre les joncs composaient un paysage agreste qui convenait à ton état d'esprit. Quelques personnes charitables te firent don d'un terrain. Avec le consentement de l'évêque du diocèse, tu y construisis de tes mains un oratoire de roseaux et de chaume que tu dédias à la Sainte-Trinité. Un seul de tes disciples t'avait suivi dans ton ermitage. L'un et l'autre, vous n'aspiriez qu'à la tranquillité, au recueillement.

Mais, ainsi qu'il en avait été décidé par la Providence, il n'était pas de paix pour toi en ce monde. Ici-bas, point de répit!

Dès que ta retraite fut connue du public, malgré le soin que tu apportais à ne pas attirer l'attention, une foule d'étudiants, quittant villes et châteaux, vinrent s'établir dans tes parages. Ils se construisirent d'humbles cabanes, se nourrirent frugalement de pain grossier et de plantes non cultivées, couchèrent sur la mousse, se privèrent de toute aise, dans l'unique espoir de te voir reprendre pour eux ton enseignement.

Des innombrables témoignages d'attachement et de zèle que tu reçus au long de ta vie tourmentée, ce consentement spontané de tant de jeunes gens à une existence de privation et d'austérité, dont ils n'avaient en aucune façon l'habitude, demeure l'un des plus émouvants.

Connaissant ton cœur, je devinai sans peine combien cet élan de la jeunesse vers toi te fut précieux, quel encouragement tu y puisas.

Depuis, tu as reconnu que la pauvreté où tu te trouvais à cette époque fut pour beaucoup dans la décision que tu pris d'ouvrir de nouveau une école, dans cet endroit perdu. N'ayant pas la force de labourer, et ne pouvant mendier, il ne te restait que l'enseignement, seul art que tu connusses parfaitement, pour gagner de quoi subsister.

Par déférence pour tes travaux intellectuels, par gratitude aussi, tes élèves acceptèrent d'accomplir pour toi toutes les tâches matérielles qui t'auraient empêché de te consacrer à l'étude. Ils se mirent donc, ces garçons nourris de philosophie, à cultiver la terre, à s'occuper de l'alimentation, des vêtements, des meubles indispensables qu'ils fabriquaient eux-mêmes; poussant le dévouement jusqu'à construire en pierre et en bois un nouvel oratoire plus vaste, mieux adapté à leur nombre et à ta ferveur. Autour de ce bâtiment, d'autres constructions robustes vinrent bientôt s'agglomérer, formant une vraie communauté.

C'est alors que tu rebaptisas le nouveau sanctuaire Paraclet, ce qui veut dire le Consolateur, pour ce que tu y étais venu en proscrit, en fugitif, et que la grâce divine t'y avait ménagé un temps d'apaisement et de consolation. Temps fort court, une fois de plus!

Le nom même de Paraclet, que tu avais choisi en toute bonne foi, servit de prétexte à une autre offensive d'hostilité contre toi. On s'indigna de cette dénomination, arguant qu'il n'était pas permis de consacrer spécialement une église au Saint-Esprit, mais qu'on devait, suivant l'usage, la dédier soit au Christ, soit à la Trinité.

Cette critique mesquine cachait, en réalité, de furieuses jalousies. Tes rivaux de toujours ne pouvaient souffrir plus longtemps le succès éclatant de ta nouvelle école. Ils bouillaient de colère devant l'impulsion qui avait arraché leurs élèves à leurs cours et à une vie de facilité, pour les fixer, dans des conditions d'existence fort dures, autour de toi. L'attrait que ton esprit étincelant et fécond exerçait sur ces jeunes gens, l'empressement qu'ils apportaient à réclamer tes soins ne leur furent pas supportables.

Du Paraclet, tes idées sur l'esprit critique et l'usage de la raison fusaient vers le reste du monde. Ils s'en emparèrent dans la ferme intention de te perdre. L'excès même de leur exaspération les porta à la prudence et à l'habileté. Ils allèrent donc trouver deux hommes plus importants qu'eux-mêmes pour les prévenir contre toi et les utiliser dans leur entreprise de destruction. Il s'agissait de Norbert, réformateur des chanoines réguliers, et surtout de Bernard de Clairvaux dont le talent oratoire était redoutable. L'éloquence de ces deux illustres personnages, leurs dons d'intimidation et de persuasion se retournèrent contre toi. Estimant faussement que tu répandais des idées périlleuses, ils te prirent à partie dans leurs prêches afin de ruiner ton crédit.

J'eus l'occasion d'entendre un de ces sermons. Quel feu on déployait contre toi! De quelles foudres n'étais-tu pas menacé! J'en demeurais confondue. Tes concepts les plus chers avaient été dénaturés afin d'être présentés sous un jour démoniaque à ces hommes inspirés. J'en ressentis une peine immense et une violente indignation. Moi, qui étais ta plus attentive élève, je savais de façon certaine que ta foi ne le cédait en rien à la leur et que tu professais un respect absolu de la doctrine chrétienne. Tes hardiesses n'étaient pas hérétiques : elles étaient le produit d'un esprit désireux de soutenir la foi et de faire avancer la philosophie spirituelle.

Mais mon opinion était de peu de poids en regard des anathèmes dont tu étais poursuivi. Les paroles accusatrices des deux prédicateurs, en dénonçant tes blasphèmes et tes mœurs dissolues, soulevèrent contre toi tous leurs auditeurs. Que tout cela fût erroné n'y changeait rien. Il n'y eut pas jusqu'à certains de tes amis qui ne se laissassent convaincre de ton indignité!

Du fond de mon couvent, je plaidais ta cause à ceux qui venaient me voir, j'expliquais ta position, je tentais d'innocenter tes écrits. Mais la calomnie a des serres puissantes. Malgré mes assertions, elle fondit sur toi. On se mit à colporter sur ton compte, sur tes doctrines, sur tes débordements, des racontars monstrueux, des insinuations dégradantes. Notre passé fut dénudé, fouillé, raillé, mis en pièces. De chacune de mes fibres, je souffrais de cette curée. Pour toi, mon amour. De moi, qui se souciait? C'était toi qu'on voulait abattre. Je ne recevais d'éclaboussures que par mégarde. La distance qui nous séparait ne m'empêchait pas cependant de partager ton tourment. Sous ce déferlement de boue, comme dans nos moments de félicité, je tenais à me trouver à tes côtés.

Tu as écrit ensuite que tu avais songé alors, dans ton

désarroi, à quitter les pays chrétiens pour passer chez les Infidèles. Il te semblait plus aisé de vivre chrétiennement parmi les ennemis du Christ qu'au milieu de ceux qui t'insultaient. Je me félicite d'avoir, sur le moment, ignoré cette tentation. La perspective de te voir partir pour toujours loin de moi, au-delà des mers, m'eût anéantie.

Là, d'ailleurs, n'était pas ta voie. Ton destin, différent de ce que tu imaginais, te tendit de nouveau un piège imprévisible.

Il se trouvait alors en Bretagne, mais non dans la région de Clisson, que nous aimions, une abbaye de Saint-Gildas-de-Rhuys, dépendant de l'évêché de Vannes, dont le pasteur venait de mourir. Les moines de ce couvent, d'accord avec le seigneur du lieu, te choisirent pour remplacer le disparu. Je me suis interrogée à l'infini pour comprendre ce qui avait pu pousser ces étrangers, si différents de nous, à te désigner de la sorte. Certainement ta réputation d'originalité y fut pour quelque chose. Ils en déduisirent bien à tort que tu n'interviendrais pas dans leurs agissements et que tu les laisserais libres d'agir à leur guise. Il se peut aussi que le fait de te voir si décrié les ait conduits à penser que tu devais, en partie du moins, mériter ces reproches et qu'étant de moralité douteuse tu t'entendrais avec eux.

Quoi qu'il en soit, tu vis dans cet éloignement qu'on te proposait si opportunément le moyen de rompre avec tes calomniateurs. Tu sollicitas donc l'approbation de l'abbé de Saint-Denis dont tu dépendais toujours, tu l'obtins sans mal, et tu partis.

Tu fuyais l'adversité, Pierre. Hélas! elle t'attendait en Bretagne, plus cruelle encore et toujours déconcertante.

Dès ton arrivée, tu t'aperçus que les moines de cette terre encore barbare, loin de vivre en respectant les règles de leur ordre, se comportaient indignement. Sans vergogne, ils cohabitaient avec leurs maîtresses et leurs enfants. Dépourvus de tout sens moral, ils volaient et emportaient tout ce qu'ils pouvaient prendre, car leur misère était grande et ils étaient la proie de leurs instincts. Tu vis aussitôt que la responsabilité d'un si déplorable état de choses incombait au seigneur du pays. Véritable tyran, cet homme, que la puissance aveuglait, faisait peser un joug écrasant sur ses vassaux. Profitant du désordre qui régnait dans le couvent, il ne se gênait pas pour opprimer les moines et les pressurer à merci. Impudemment, il s'était approprié toutes les terres domaniales et extorquait aux religieux un tribut de vaincus. De sa part, comme de la leur, tu ne pouvais t'attendre qu'à la violence et aux persécutions.

Tout autour de toi, la région, encore à demi sauvage, n'était pas plus accueillante que ses habitants.

Depuis lors, tu m'as décrit l'abbaye, construite au bord de l'océan dans un site farouche où la mer et le roc s'affrontaient avec âpreté. Ceux qui peuplaient cette côte sans douceur avaient emprunté au paysage rude qui les environnait certains traits de caractère. Tannés, brûlés par le sel et les intempéries, ils t'opposaient des faces semblables à de vieux cuirs, où tu ne lisais que méfiance pour le citadin que tu étais à leurs yeux. Vivant hors des lois, dans une ignorance totale de nos usages et de nos pensées, ils s'écartèrent de toi et te considérèrent dès l'abord comme un étranger doublé d'un gêneur.

Nulle part, m'as-tu avoué par la suite, tu ne t'étais senti à ce point éloigné de ton prochain, aussi perdu qu'en cette terre du bout du monde dont la langue elle-même t'était incompréhensible. Tu mesurais avec effroi l'erreur que tu avais commise en quittant le Paraclet, où tu n'étais en butte qu'à d'envieuses calomnies, pour venir t'enfouir dans une contrée inculte qui te rejetait impitoyablement!

L'angoisse t'investissait de jour en jour et tu ne goûtais plus aucun repos. Essayer de ramener la communauté à la discipline qui eût dû être la sienne était non seulement une fort périlleuse entreprise, mais une folie.

Les moines ne supportaient aucune remontrance. Tu les sentais, à chaque instant, plus montés contre ton autorité. Il devenait évident qu'ils n'hésiteraient pas, si tu t'acharnais dans ton effort de réforme, à tenter de se débarrasser de toi par n'importe quel moyen. Y compris la contrainte.

Tu le savais, mais tu savais aussi que ne rien faire pour refréner leurs mœurs dissolues, qu'accepter cette situation scandaleuse, était, pour l'abbé de ce monastère, jouer son âme éternelle!

Un tel débat te dévastait. Tu éprouvais jusqu'aux larmes le besoin d'une présence amicale à tes côtés. Bien que tu ne l'aies jamais reconnu, j'aime à penser que, dans ces moments de désarroi, c'est à moi que tu songeais, vers moi que se tournait ton cœur assoiffé de tendresse...

Nul ne vint. Population, moines, suzerain, tous te réprouvaient! Avec le temps, ces dispositions ne firent que s'affirmer. Bientôt, on en vint à te contrecarrer ouvertement, et les attaques succédèrent aux menaces.

Cela, je ne l'ai appris que plus tard. A cette époque, le cœur écrasé, j'accomplissais mon devoir à Argenteuil, sans plus rien savoir de toi. La rumeur publique s'était tue. Les rares amis qui venaient me visiter ignoraient tes nouvelles vicissitudes. De Bretagne, aucune nouvelle ne parvenait jusqu'à nous. C'était le silence, l'absence, le vide absolu.

C'est à ce moment de ma vie, Pierre, que se place la plus complète disgrâce. Nulle lueur. J'agonisais dans un désert.

De ton côté, mon amour, tu ressentais la même horreur. Ton existence était menacée, ton avenir bouché, tes espérances détruites. Les années passaient sans apporter aucun adoucissement à ton sort. Tu songeais avec désolation à tout ce que tu aurais pu apprendre de nouveau à tes étudiants, à tes disciples. Au lieu de perdre sans bénéfice pour personne ton temps et tes précieuses connaissances, tu eusses pu modeler de jeunes esprits, former une élite. Le sentiment de ce gaspillage te torturait.

Ainsi donc, une fois de plus, nos destins étaient semblables. Comme nous avions été unis dans le bonheur, nous étions rapprochés, sans même le savoir, dans nos tourments.

Je mourais de notre séparation. Tu te sentais dépérir loin de ceux qui t'aimaient.

Ton regret le plus amer était l'abandon où se trouvait le Paraclet, laissé sans prêtre et sans office. La grande pauvreté de ta fondation ne lui permettait pas, en effet, d'entretenir plus d'un humble desservant. Tu te reprochais d'avoir tout délaissé à la fois : tes élèves et ton oratoire. Et cela pourquoi? Pour fuir des diffamations sans effet et te précipiter dans de bien plus graves périls.

Tout comme la mienne, Pierre, ton âme était déchirement et désolation. C'est alors que Dieu eut pitié de nous. Après dix années de traverses et de malheur, Il suscita une nouvelle avanie qui nous achemina étrangement l'un vers l'autre.

Suger, le nouvel abbé de Saint-Denis, se trouva à l'origine de nos retrouvailles.

Ce n'était pas un mince personnage que Suger! Tout le monde savait que le roi, qui avait été élevé avec lui au monastère royal, ne pouvait se passer de lui. Ministre, puis plénipotentiaire, ami de Louis VI et son confesseur, nous n'entendions parler que de sa pompe et de sa puissance.

Mais voilà que tout à coup, sous l'influence de Bernard de Clairvaux, il décida de transformer sa manière de vivre, de se détacher des préoccupations du siècle pour se consacrer à son couvent. Il s'interdit dorénavant tout luxe ostentatoire, se détourna du monde et choisit l'austérité, bien que le roi entendît le garder dans son conseil. Une fois délesté de ses autres soucis, il se proposa d'accroître autant qu'il le pourrait la renommée de son monastère.

Or il se trouvait que, jadis, Argenteuil avait appartenu à Saint-Denis. Suger retrouva les anciennes chartes datant de la fondation du couvent et les envoya au pape en lui demandant de rétablir l'antique dépendance. A peine l'eut-il obtenue, qu'il réclama notre expulsion pour loger ses fils à notre place.

Nous savions bien, nous, que la richesse de notre maison était l'unique cause de tant de procédures. Nous nous apprêtions donc à protester, quand Suger, qui dut avoir vent de notre projet, trouva le moyen de nous accuser d'immoralité.

Une de nos compagnes s'était, en effet, laissé séduire par un de nos visiteurs. Elle en avait eu un enfant et avait dû quitter l'abbaye à la suite de cette aventure. Cela s'était su. Mais l'inconduite d'une seule brebis doit-elle, pour autant, souiller tout le troupeau?

Suger utilisa cette malheureuse histoire pour nous évincer d'Argenteuil. Cela prouve qu'il n'était pas sûr de la valeur de ses arguments juridiques ni de leur authenticité. Ce fut donc sous une inculpation infamante qu'on décida de nous expulser. Une assemblée de notables, présidée par le roi en personne, décréta notre indignité et nous intima l'ordre de quitter notre monastère le plus tôt possible. Suger entrait en possession de tous nos biens et devait, en compensation dérisoire, nous faire accueillir dans d'autres communautés. On ne nous accorda même pas la possibilité de nous disculper ni celle de faire valoir nos droits. C'était une spoliation pure et simple.

Si j'avais encore été l'Héloïse d'autrefois, toute de feu et d'ardeur, j'aurais protesté, j'aurais lutté pour nous laver d'une imputation aussi manifestement imaginaire. Je n'aurais pas supporté tant d'injustice. Il aurait fallu compter avec moi. Mais je n'étais plus que l'ombre de moi-même. Trop occupée à apprivoiser la souffrance qui, telle une bête fauve, vivait de mon cœur, je n'avais pas le loisir de m'intéresser à autre chose. Je n'étais plus une créature vivante, mais une ombre douloureuse, repliée sur le mal qui la consumait.

Suger triompha donc en toute tranquillité. Cet homme célèbre et vénéré par tant de gens ne dut jamais prendre conscience de ce que son acte avait d'hypocrite. Il était seulement trop sûr de sa puissance pour mettre en doute le bien-fondé de ses actions.

Quand on nous apprit la façon dont nous avions été dépouillées de notre propriété, tout le couvent s'indigna. Je me souviens de l'agitation de mes compagnes, de leurs conciliabules, de leur détresse. Je les considérais avec indifférence, comme si j'avais été l'habitante de quelque autre monde, déléguée sur celui-ci pour y regarder ce qui s'y passait. Je me sentais de glace pour une infortune qui ne touchait que des possessions matérielles. C'était de bien autre chose que j'avais été dessaisie!

A quoi bon gémir et fulminer? Nous étions vaincues par un si haut personnage que l'idée d'une revendication n'était pas concevable. Le pape lui-même avait donné son accord dans une bulle adressée à Suger. Le roi, de son côté, avait émis, par charte royale, son assentiment au nouvel état de choses. De quel poids pouvaient être dans ces conditions les protestations de femmes soupçonnées de conduite impure, et ne possédant plus rien?

Je considérais mes compagnes en pleurs et, une fois de plus, je constatais que tout mal, comme tout bien, ne pouvait me venir que de toi!

En tant que prieure, Dieu merci, j'avais la possibilité d'exercer une influence modératrice sur les agissements des autres religieuses. Je m'employai donc à les raisonner puis à chercher avec elles la plus sage manière de nous adapter au changement de route qui nous était imposé.

Certaines optèrent pour l'abbaye de Sainte-Marie-de-Footel, située au bord de la Marne.

Quant à moi, je pensais me décider pour un autre monastère, lorsque, tout à coup, je reçus de tes nouvelles.

Mon émotion, Pierre, en reconnaissant ton écriture, fut indicible. Songe que depuis dix ans, je n'avais pas lu une seule ligne de toi! Ton intervention soudaine, ce qu'elle révélait d'attention, de sollicitude, à notre égard à toutes, à mon égard en particulier, me bouleversa. Alors que notre expulsion d'Argenteuil n'avait pas entamé mon sang-froid, la simple vue du message portant mon nom me mit en transe. Je pleurais, je riais, je défaillais en même temps.

Réfugiée dans la cellule que je devais bientôt quitter, je pris connaissance de ta lettre avec un tel trouble que je pouvais à peine déchiffrer les mots que tu y avais tracés. Mes yeux pleins de larmes, le tremblement de mes mains interrompaient ma lecture à chaque syllabe. Quand je fus enfin parvenue au bout du parchemin, une joie éclatante comme le soleil m'inonda. Non seulement tu ne m'avais pas oubliée comme je l'avais craint, mais voici que tu intervenais dans ma destinée à un moment capital, pour m'apporter une solution merveilleuse au problème que j'avais à résoudre.

Je ne sais comment tu avais pu savoir, dans ton lointain exil, ce qu'il nous advenait. Cela importe peu. L'admirable était que, le sachant, tu fusses parti précipitamment de Bretagne pour le Paraclet d'où tu m'écrivais aussitôt. Tu me proposais de venir, sans plus tarder, m'y installer avec les religieuses que je choisirais afin d'y fonder un couvent à notre usage. Tu avais l'intention de nous faire don en toute propriété des terrains et des bâtiments qui seraient ceux de la future communauté. Nous serions chez nous. Tu nous y attendais!

Cette proposition si généreuse me transporta, bien que le ton de ta missive fût rigoureusement impersonnel, presque officiel même. C'était l'abbé de Saint-Gildas qui remettait entre les mains de la prieure d'Argenteuil la fondation qu'il avait créée. Je remarquai bien cette forme, mais ne m'y arrêtai pas. Qu'importait? J'allais te revoir. Cette réunion comptait seule à mes yeux.

En me confiant, d'ailleurs, cet oratoire qui te tenait tant au cœur, en me le donnant, ne me témoignais-tu pas ton affection impérissable et le souci que tu avais toujours de me protéger des autres?

Je te vouai sur l'heure une reconnaissance éperdue. Tout aussitôt, je rassemblai celles de mes compagnes qui demeuraient à Argenteuil dans l'attente de ma décision, et nous partîmes dès que nos bagages furent prêts.

De pesantes basternes nous emportèrent, nonnes, meubles, vêtements, vaisselle et livres sacrés, sur les routes de Champagne, vers notre nouveau bercail dont tu étais le berger.

16 MAI 1164

L'aurore avait été sans nuages. Dans un ciel aussi pur, le soleil fut tout de suite éclatant. Des pans de brume s'attardèrent un moment au-dessus de la rivière et des prés, puis ils se dissipèrent dans la lumière dorée. Une fraîcheur, une allégresse à odeur d'herbe et de genêts en fleur se répandit sur la terre. Les oiseaux chantaient toujours.

La cloche de prime éparpilla ses tintements au-delà des toits nombreux du monastère. Dans l'oratoire, les moniales ne levèrent même pas le front. D'ordinaire, elles faisaient leur toilette au lever du soleil, afin d'être purifiées par leurs ablutions pour l'office qui allait suivre. Ce matin-là, aucune d'entre elles ne bougea. Tant que la mère abbesse respirerait, ses filles assisteraient son agonie en priant, sans perdre un instant à s'occuper d'elles-mêmes. Leurs oraisons étaient plus urgentes, plus importantes, que n'importe quel soin corporel.

Pendant ce temps, pourtant, comme chaque jour, certains devoirs s'imposaient. En effet, sur les sentiers menant au Paraclet, entre les haies d'aubépines fleuries de blanc, des miséreux, par petits groupes, s'acheminaient vers leur provende.

La sœur portière, aidée de deux converses, les attendait sur le seuil de la porterie. Près d'elle, sur une table, étaient posés de grands paniers d'osier.

La distribution ordinaire commença dès que les nécessiteux atteignirent le couvent. Quotidiennement, on faisait cuire pour les indigents douze tourtes de trois livres chacune. Aujourd'hui, parce qu'on était dimanche, on avait adjoint aux tourtes des galettes de froment, de la langue de bœuf séché, du fromage et du vin.

« Priez pour notre mère, demandait la sœur portière en tendant sa portion à chacun.

– Dieu la bénisse!

– Qu'Il la garde!

– Qu'Il nous la conserve! »

Loqueteux, claudicants, estropiés, ils s'éloignaient ensuite par les chemins creux, emportant dans leur besace ou dans un sac la nourriture qu'on venait de leur donner. Des voix chevrotantes, d'autres aigrelettes récitaient des patenôtres pour la bonne abbesse que Notre-Seigneur allait peut-être rappeler à Lui.

Dame Guenièvre, qui était remuante de nature, n'avait pu résister à la douceur de la matinée qui s'annonçait. Elle était sortie de l'infirmerie pour marcher un peu à travers la rosée et pour respirer l'air rafraîchissant.

Le jardin potager, où elle se trouvait, était clos à mi-hauteur de murs que garnissaient des treilles et des poiriers en espalier. Il descendait en pente douce vers la rivière courant entre les berges tapissées d'herbe drue, de roseaux et de touffes d'iris violets. Des pommiers en fleur épanouissaient leur roseur au-dessus des plates-bandes où se mêlaient des plants de jeunes fèves, des raves et des jacinthes, des laitues, des choux cabus et des girofflées, des pieds d'artichauts, de l'oseille et des rosiers sur tige.

Dame Guenièvre, qui avait l'odorat fin, sentit des arômes balsamiques charriés par la brise. Elle se dirigea vers le côté d'où venait cette odeur qu'elle aimait, et découvrit, dans un jardin d'herbes entouré de buis taillé, toute une foule de plantes condimentaires qu'on cultivait à l'écart des autres : romarin, sauge, persil, marjolaine, sarriette, fenouil, menthe, valériane se confondaient en un fouillis vert et parfumé.

A l'ombre d'un grand cognassier étoilé de fleurs, la

promeneuse trouva un banc de bois où elle s'assit un moment. Les yeux clos, elle huma l'air léger qui circulait entre les branches des arbres fruitiers en effeuillant au passage des pétales qui tombaient comme neige sur l'herbe épaisse. Un bien-être animal l'envahit.

Se pouvait-il vraiment que, si près de ce verger printanier, Héloïse fût en train de mourir? Comme elle avait dû aimer ce coin de terre, la grande abbesse, pour faire du sol inculte qu'Abélard lui avait donné un jardin si parfait!

Un frère lai, à longue barbe, apparut du côté de la rivière. Il sortait du moulin et portait sur les épaules un sac plein de farine dont des traînées poudreuses maculaient son froc. D'un pas alourdi, il se dirigea vers un bâtiment trapu dont la cheminée fumait. Ce devait être la boulangerie. Accotée au mur de la maison des novices, elle faisait partie des constructions plus récentes qu'Héloïse avait fait ajouter à celles déjà existantes lors de son arrivée. L'ensemble composait une cité close, se suffisant à elle-même et rigoureusement organisée. Il le fallait puisque aucune des moniales n'avait le droit de sortir de l'enceinte consacrée.

Quel ordre, quelle paix, dans cette communauté!

Dame Guenièvre soupira. Elle eût aimé finir ses jours, comme le faisaient beaucoup de dames de qualité, entre les murs d'un couvent comme celui-ci, mais son époux s'y opposait et entendait la garder à ses côtés tant qu'il vivrait. A cela, elle ne pouvait rien opposer.

Un autre frère lai surgit alors dans le jardin. Il venait de l'extérieur, sans doute du bâtiment situé hors l'enceinte où ils étaient logés, leur mission essentielle étant de cultiver la terre et d'exécuter les besognes trop dures pour des femmes. Celui-ci portait une pelle et une bêche à la main. Se dirigeant vers l'oratoire, il suivait les allées d'un air absorbé. Avec un frisson, dame Guenièvre pensa qu'il se rendait au tombeau d'Abélard pour y préparer la place d'Héloïse.

L'enchantement du matin de mai se voila alors soudain aux regards de la visiteuse. En un geste frileux, elle resserra autour d'elle les plis de son manteau.

Sous les branches des arbres fruitiers, Héloïse lui avait paru si présente qu'elle avait relégué la mourante dans un coin de son esprit. Hélas! on ne joue pas longtemps à un tel jeu! L'heure présente n'était pas dédiée à la vie, mais à la mort. C'était au chevet d'une agonisante qu'elle était venue, non en visite auprès de l'abbesse du Paraclet! Avec un nouveau soupir, dame Guenièvre s'en alla vers l'infirmerie, derrière la porte de laquelle l'attendait un spectacle qu'elle n'entendait pas manquer.

Puisque Héloïse vivait présentement ses ultimes heures de bénédictine, il fallait demeurer auprès d'elle et ne plus songer au printemps!

Quand je te revis, Pierre, debout sur le seuil de l'oratoire où tu nous attendais, je sentis, comme les pèlerins d'Emmaüs après qu'ils eurent parlé au Seigneur ressuscité, mon cœur tout brûlant au-dedans de moi. Je crus qu'il allait s'arracher de ma poitrine pour s'élancer vers toi. Agitée de frissons, la gorge nouée, les genoux tremblants, je serrais l'une contre l'autre mes mains de glace sans pouvoir prononcer un mot.

Les autres religieuses descendaient de la basterne, s'ébrouaient, regardaient avec curiosité le paysage de marais et de bois qui cernait ton ermitage, et se félicitaient d'être parvenues à bon port.

« Bienvenue à vous, épouses du Christ! »

Ta voix me tira de mon trouble. Je ne voulais pas te décevoir. Puisque ta générosité avait été assez grande pour te pousser à nous faire don de tout ce qui t'appartenait, en sacrifiant en toi le goût bien légitime de la propriété, il fallait que, de mon côté, je fusse capable de contenir mon émotion pour me présenter devant tes yeux telle que tu souhaitais me voir : occupant avec dignité la charge qui m'était dévolue.

D'un pas que j'affermis, je marchai vers toi. Du vertige qui me bouleversait, je m'appliquais, en rassemblant mon énergie, à ne rien laisser deviner. Je tenais à te présenter un front serein afin de ne pas alourdir ton fardeau du poids de mes propres tourments.

« Héloïse, vous êtes ici chez vous.

– Soyez-en remercié, mon maître. »

Ainsi donc, nous ne nous tutoyions plus!

L'envie que j'éprouvais de me jeter contre ta poitrine s'évanouit d'elle-même devant l'attitude déférente mais réservée que tu avais adoptée dès l'abord.

Où étaient nos amours? L'homme que j'avais en face de moi, s'il gardait le beau visage qui m'émouvait tant, portait sur ses traits les marques de ses épreuves. Amaigri, creusé, ton masque, Pierre, était celui d'un ascète, non plus celui du philosophe célèbre, du régent des Ecoles de Paris.

Au long de ces dix mortelles années où je n'avais pas cessé de songer à toi, je m'étais préparée aux changements inévitables que le temps, la maladie, la souffrance et les persécutions t'auraient infligés. J'imaginais un vieillissement, une usure, mais pas une transformation de cet ordre, aussi essentielle. En l'espace de quelques secondes, je compris à quel point tu étais autre!

Ton corps décharné et affaibli importait peu. Ce n'était pas ce dessèchement qui modifiait ta personne de façon si radicale. Je décelais en toi l'apparition d'un élément nouveau. A ton regard, non plus ardent comme jadis, mais grave, reflétant une douceur attentive, une sorte de bienveillance empreinte de charité, je devinai que ta transfiguration était d'ordre spirituel. Sous le coup de ma découverte, je ne pus sur-le-champ mesurer la profondeur de cette modification.

Mille soins matériels, en effet, me réclamaient, auxquels je ne pouvais me dérober. Je m'y livrai donc immédiatement, tant pour aider mes compagnes que pour calmer les remous passionnés qui m'agitaient.

Eblouie de t'avoir retrouvé après une aussi longue et dure privation, j'étais, cependant, inquiète de la part inconnue que je sentais en toi. Dans un sens, il fut heureux que j'eusse tant à faire, à ce moment-là. Occupée de tracas, ma pensée dut, par force, se détourner de l'unique objet de son intérêt.

Te souviens-tu, Pierre, de ce que furent nos débuts au Paraclet? Quand nous y arrivâmes, par un temps doux de septembre, nous étions fermement résolues à nous contenter de peu, à nous accommoder de tout. L'opulence d'Argenteuil nous avait mal préparées, il est vrai, aux exigences d'une vie de pauvreté. Nous avions conscience de ce manque et estimions même que la facilité d'antan était plus sournoisement dangereuse que l'austérité à laquelle nous nous préparions. Seulement, nos prévisions les plus pessimistes furent tout de suite dépassées. Nous nous trouvâmes alors aux prises avec un tel dénuement que le découragement aurait pu remplacer l'enthousiasme chez certaines d'entre nous, si je n'y avais pas veillé de très près.

Là où tu avais fondé le Paraclet, il n'y avait rien que de l'herbe et des roseaux quand tu étais venu t'y réfugier. Grâce à tes élèves, un oratoire solide et de bonne taille avait remplacé le frêle abri que tu avais élevé de tes mains. Des cellules rudimentaires, bâties autour du lieu consacré, avaient complété l'installation. Cet arrangement avait paru suffisant aux étudiants et au philosophe détachés des besoins du commun. Tu étais parti ensuite pour Saint-Gildas, et le temps avait entrepris son œuvre de dégradation.

En l'an de grâce 1129, quand, à notre tour, nous nous trouvâmes sur les lieux que tu nous donnais, l'oratoire, seul, était encore en bon état. Les cellules, où poussaient des ronces et des orties, semblaient tout juste utiles à protéger du vent et de la pluie. L'humidité qui montait de la rivière proche marbrait de moisissures les murs et les plafonds. Aucune installation n'était prévue pour faire cuire le pain, pour préparer les aliments, pour soigner les malades, pour conserver les provisions. Ni boulangerie, ni réfectoire, ni cave, ni cuisine, ni moulin, ni jardin. Tout était à créer, et l'hiver approchait!

Cette dure nécessité me fut salutaire. Je me livrai aux multiples travaux qu'il nous fallut entreprendre avec une ardeur dans laquelle entraient pour beaucoup le goût que j'ai toujours eu pour l'effort et le désir de faire fructifier les propriétés que tu nous avais confiées; mais aussi le besoin de faire taire mon obsession, mon amertume et le conflit intime qui ne cessait de me déchirer, depuis mon entrée au couvent.

Les années vides d'Argenteuil m'avaient anéantie. Le combat qu'il me fallut livrer, dès notre prise de possession du Paraclet, contre la faim, le froid, la misère et l'inconfort me fortifia en m'endurcissant.

A cette époque, j'appris à m'oublier pour faire face à l'urgence des tâches indispensables. Dans le vent, la boue et les privations, j'édifiais, pierre par pierre, avec l'aide de quelques paysans de bonne volonté et celle de mes filles, l'embryon de ce que serait un jour notre communauté. Devenue abbesse de cet humble monastère, je décidai de le faire prospérer, à quelque prix que ce fût.

Il me fallait une œuvre à accomplir : la création puis l'épanouissement de notre abbaye devint celle de ma maturité. N'ayant plus d'autre but que de développer cette fondation dont tu étais le promoteur, je m'attelai à la besogne avec une opiniâtreté, une endurance et une sévérité sans égales.

Toi-même, mon cher amour, tu étais reparti vers la Bretagne dès le début de notre installation. Tranquillisé sur le sort de ton oratoire, tu m'en avais confié la gestion avant de t'en aller. Pendant les quelques jours trop brefs où tu étais demeuré parmi nous, je n'avais jamais pu te voir un instant en particulier. Malgré l'envie lancinante que j'en éprouvais, tu t'étais toujours arrangé pour que le desservant de la chapelle, ou une de mes moniales, se trouvât en tiers entre nous.

Ton comportement à mon égard, attentif, mais distant, était resté celui du jour de notre arrivée. Pendant les nuits que je passais à m'interroger à ton sujet, je m'épuisai en vain à imaginer un moyen de te faire sortir de cette retenue. Dans ton cœur, rien ne vibrait donc plus à mon approche? Moi qui n'étais que transes en ta présence, je considérais ton calme et me sentais perdue.

Avant de me quitter, pourtant, tu me manifestas ta sollicitude en me faisant connaître le haut et puissant seigneur Thibaud de Champagne et sa femme, la comtesse Mathilde, qui étaient de tes amis et furent, par la suite, excellents pour moi. En me les assignant comme protecteurs, tu fis preuve de grand jugement et de prévoyance. J'en conclus que, si tu te refusais à me témoigner la tendresse que je souhaitais si impérieusement, tu tenais néanmoins à me témoigner ton attachement d'une façon détournée et presque paternelle.

Un autre de tes amis, Milo de Nogent, qui t'avait donné le terrain au bord de l'Arduzon, trois champs cultivés et les coupes d'une forêt proche, se montra également bon pour nous, grâce à ta recommandation. Peu de temps après notre arrivée, il nous accorda le droit exclusif de pêche dans la rivière entre le village de Saint-Aubin et celui de Quincey, notre paroisse.

Nous avions grand besoin de libéralités de ce genre! Notre existence d'alors n'était que disette et restrictions. Sans autres ressources que celles que nous tirions de nos trois champs et de notre cours d'eau, il nous arrivait de jeûner plus souvent qu'aux jours prescrits! Ne pouvant rien acheter des objets indispensables qui nous manquaient, nous en étions réduites à tout fabriquer nous-mêmes. Durant cette première période, je découvris les rigueurs et les bienfaits des travaux manuels. Pour l'érudite un peu trop cérébrale que j'étais, la dure école de la nécessité fut infiniment profitable et riche d'enseignements qu'on ne trouvait pas dans les livres. La truelle ou la pioche à la main, il me fallut réviser bien des concepts et accepter humblement les leçons que les éléments ne se privaient pas de m'infliger.

Il nous fallut, tour à tour, nous transformer en maçons pour remettre en état nos cellules et pour en réunir plusieurs entre elles afin de posséder quelques bâtiments de première nécessité; en jardiniers pour défricher et ensemencer notre terrain; en menuisiers pour fabriquer des tables, des bancs, des bois de lit; en fermières pour élever des poules et des lapins; en toutes sortes d'autres artisans encore pour confectionner des matelas et des couvertures, des vêtements, des ustensiles de poterie, des souliers et des chandelles.

Tout en soumettant nos corps à une discipline inflexible, nous prenions également soin de nos âmes et suivions chacun de nos devoirs religieux avec une scrupuleuse observance.

Harassée de fatigue, les reins et les bras brisés, j'éprouvais une sourde satisfaction à travailler du matin au soir sans concession ni relâchement. C'est de cette époque héroïque que me vient ma réputation d'organisatrice, endurante et sage. Qu'au fond de moi les démons aient hurlé sans trêve, c'était mon affaire. Nul ne le savait. Pour museler ces maudits, j'avais trouvé l'ivresse du labeur dont la fatigue agissait sur mes sens comme une drogue apaisante. J'allais donc jusqu'à l'extrême limite de mes forces pour rencontrer, dans la torpeur qui m'alourdissait entre mes draps, un semblant de repos.

Avec l'hiver, nos difficultés s'accrurent. Le froid, dont nous nous défendions si mal, nous martyrisait. Mal nourries, écrasées d'ouvrage, les doigts et les pieds enflés, crevassés, nous vivions, au cœur de la campagne glacée, dans une sorte d'état d'hébétude d'où nous n'émergions que pour supplier Dieu de nous venir en aide.

Te doutant de nos malheurs, tu revins nous voir au mois de janvier. Il faisait un temps sec, coupant comme une lame. Le sol était si dur qu'on ne pouvait plus l'entamer à la pelle, et l'eau de la source était gelée. Je sortais de la porcherie où je venais d'aider deux de mes filles à distribuer aux porcs leur glandée journalière, quand tu m'apparus, à cheval, au milieu de la cour.

Un élan irrépressible me poussa vers toi.

« Pierre! Tu es revenu! »

En ta présence, j'oubliais nos conditions, nos responsabilités, tout ce qui nous séparait. Je n'étais plus que ta femme, heureuse, si heureuse de ton retour.

D'un geste machinal de bonne ménagère, avant de lever les yeux vers toi, j'essuyai d'abord mes mains sur le tablier de toile que je portais sous mon manteau noir. Puis je te regardai. Sur ton visage incliné vers moi, je lus de la tristesse, de la mélancolie et une sorte de tendre réprobation qui me fit mal.

« J'ai pensé que l'abbesse du Paraclet aurait sans doute besoin de secours pendant ce dur hiver, dis-tu d'un ton impersonnel. Vos religieuses et vous devez souffrir d'être installées de façon si précaire. »

Remise à ma juste place, je baissai le front pour te dissimuler les larmes que le froid gelait sur mes joues. Ainsi donc, tu te refusais à toute familiarité, à tout rappel d'un passé qui me hantait, mais que tu avais rejeté. Comme toujours, je résolus de soumettre mon comportement à tes indications.

« Il est vrai que nous sommes plus démunies que les plus pauvres parmi les plus pauvres, reconnus-je en me redressant. Nous acceptons cet état de choses avec humilité et œuvrons sans désemparer dans l'espoir d'aboutir à une amélioration. »

Je conduisis ensuite moi-même ton cheval dans une remise composée de trois cellules reliées ensemble, et je t'introduisis dans la salle commune où flambait un grand feu. Avec le four à pain, c'était le seul foyer du couvent. Partout ailleurs le froid régnait en maître et nous étions désarmées contre lui.

Sur ton ordre, je réunis autour de moi les plus actives de mes compagnes, après que nous eûmes terminé notre maigre repas. Tu tenais à nous donner des conseils, des réglementations, des directives, afin de nous venir en aide dans chaque occasion difficile. Ce chapitre conventuel se termina assez tardivement et nous allâmes nous coucher alors que le soleil, boule rougeoyante et sans chaleur, avait presque basculé derrière l'horizon.

Le lendemain, tu décidas de me présenter un ami,

que je ne connaissais pas encore, ainsi que son épouse. Il s'agissait du noble Galo et de la chère Adélaïde. Tu m'en parlas comme de seigneurs généreux, capables de nous tirer d'affaire en cas de besoin.

Tu partis donc dès qu'il fit jour, à travers les champs et les bois blancs de givre où ne tranchaient que des bandes de corbeaux affamés.

Tu revins peu avant sexte, accompagné du couple amical. Ce fut ma première rencontre avec ces bénis de Dieu! Par ton entremise, l'amitié, qui n'avait jusqu'alors tenu que bien peu de place dans ma vie, s'y installa enfin. Dès que je vis Adélaïde, je sus qu'une quantité de secrètes affinités existaient entre cette femme et moi. Je fus tout de suite conquise. Elle m'a confié depuis que cela avait été réciproque.

Avec elle, la douceur et la bonté devenaient de mes intimes. Je ne pourrai jamais m'acquitter envers elle. Notre pauvreté la toucha à tel point qu'elle résolut sur l'heure de tout faire pour nous soulager. Le jour suivant, elle alla trouver la comtesse Mathilde et, par un chaud plaidoyer, l'intéressa à notre cause. L'évêque du diocèse fut aussi alerté par ses soins.

A partir de ce moment-là, les offrandes commencèrent à affluer au Paraclet. Vivres, vêtements, couvertures, objets de toutes sortes nous étaient adressés avec empressement. Les plus riches propriétaires du voisinage nous octroyèrent des terres et des sommes d'argent. Les plus pauvres se privèrent pour nous faire don de pommes, de châtaignes, de cidre ou de gibier.

Il est certain que le Seigneur, ému de notre pénurie, toucha de pitié et de bienveillance, ainsi que tu le dis plus tard, les populations environnantes, mais ce fut grâce à toi que je rencontrai Adélaïde, et grâce à elle que notre situation si misérable fut connue de tous. C'est donc toi, une fois de plus, qui te trouvas à l'origine de ce bienheureux relèvement de notre condition.

Galo et Adélaïde furent les premiers, et demeurèrent, avec le comte Thibaud et la comtesse, les plus fidèles de nos donateurs. Nous leur devons le moulin et les vignes de Crèvecœur, des biens immobiliers à Provins et beaucoup d'autres libéralités.

De la sorte, notre état s'améliora assez vite. J'en fus satisfaite pour mes filles, non pour moi. Mon seul trésor était ta présence, le reste ne m'importait pas.

Pour te prouver ma reconnaissance, Pierre, et puisque tu te refusais avec douceur et fermeté à toute reprise d'intimité entre nous, je m'attachai à observer le plus strictement possible les règles de notre ordre. Je savais que tu en éprouverais du contentement. Bien que beaucoup de nos statuts me parussent trop pénibles pour de simples femmes, et en attendant d'obtenir de toi de nouvelles prescriptions, je tins à ne rien négliger des devoirs qu'ils nous imposaient. Mes filles me suivirent dans cette voie avec un zèle si admirable que la région tout entière s'intéressa à nous. On nous louait, on venait de fort loin pour nous voir et pour nous réclamer des enseignements spirituels.

Je priais et méditais aussi souvent que je le pouvais, consciente de la tromperie où je m'enfonçais et de la fausseté de ma position. En effet, en dépit de tous les travaux et des responsabilités que j'assumais, je continuais à subir les assauts de mes sens et ceux de mes souvenirs.

Ta présence parmi nous, pour rare qu'elle fût – tu ne vins nous voir que trois fois la première année –, m'apportait un tel trouble qu'aucune oraison, aucune mortification n'en venait à bout. Malgré la vigilance que tu mettais à nous tenir loin l'un de l'autre, le feu qui me brûlait, se nourrissait de ton approche. Tous les prétextes m'étaient bons pour t'entretenir, et l'exaltation que je retirais de ces conversations m'enflammait tout entière et me livrait, désarmée, aux tentations de la chair. Je ne parvenais plus à soustraire mon âme aux attraits de la volupté. Mes nuits, de nouveau, ne furent plus que de longs combats.

Comme j'ai souffert, Pierre, de la soif et de la faim

de toi, en ces années de la trentaine où la jeunesse arde en nous de si chaude façon!

Pendant ce temps, tout le monde me vénérait. On ne se lassait pas de vanter mes vertus! Seigneur, s'il y a quelque mérite à ne point scandaliser Vos fidèles par de mauvais exemples, quelles que soient, d'ailleurs, nos intentions; à ne point donner aux Infidèles les prétextes de blasphémer Votre nom, c'est bien là tout mon apport à Votre cause! Il est écrit : « Eloigne-toi du mal et fais le bien. » C'est en vain qu'on pratique ces deux préceptes, si ce n'est Votre amour qui nous conduit. Or, dans chaque état de ma vie, Vous le savez, Seigneur, c'est Pierre plutôt que Vous que j'ai redouté d'offenser. C'est à lui, bien plus qu'à Vous-même, que j'ai eu le désir de plaire!

Me voici, à présent, parvenue à la période de mon existence qui fut la plus critique. A celle où le combat changea d'aspect pour me cerner plus étroitement encore. Jusqu'à ce moment, Seigneur, je le croyais du moins, il y avait eu Pierre et moi qui Vous affrontions. A partir de notre installation au Paraclet, il y eut Pierre, ouvert à Votre amour, qui s'alliait à Vous pour tenter de me conduire vers l'acceptation et l'adoration de Votre volonté.

La lutte fut des plus âpres : je n'avais jamais accepté le coup qui nous avait frappés et je continuais à vivre dans la nostalgie de nos péchés. Je les aimais, ils me poursuivaient partout de leur douceur d'antan. Je me refusais donc à admettre ton évolution, Pierre, bien qu'elle fût évidente, et je me cramponnais à mes souvenirs. Tout m'était bon pour entretenir ma passion et jusqu'à ta bonté envers nous.

En effet, cédant aux conseils de certains de nos voisins qui te reprochaient de ne pas contribuer par ton talent oratoire à l'allégement de notre situation, tu acceptas de nous rendre de plus fréquentes visites. Tu pris alors l'habitude de prêcher à notre profit, dans notre église, et tu t'occupas plus activement de nos affaires. Tes prônes attiraient dans notre maison une foule d'auditeurs qui se montraient, ensuite, tout disposés à nous secourir.

La charité seule te poussait à agir de la sorte. Je n'eus pas honte, pourtant, de profiter de ta compassion pour me repaître de ta vue, pour m'enivrer de réminiscences!

Au début, tu ne m'opposas que douceur et distance. Me croyant aussi sage et résignée que j'en avais l'air, tu ne t'inquiétas pas de mes regards, de mes empressements, de mon obstination. Tu les mettais sur le compte de mon zèle pieux. Il fallut que je te dévoilasse mes pensées les plus secrètes pour que tu en vinsses à cesser de me faire aveuglément confiance.

Je me souviens avec précision du moment où je te révélai la vérité. C'était une nuit d'été où la chaleur, jointe à mes appétits insatisfaits, m'avait à tel point torturée dans mon lit qu'à bout de nerfs et de larmes je m'étais levée avant l'aube pour m'aller baigner dans la rivière. L'eau fraîche n'était pas parvenue à me calmer.

Je traversais, en maudissant mon sort, les nouvelles plantations d'arbres fruitiers récemment faites dans notre verger, quand je t'aperçus, debout sur le monticule qui s'élève entre l'Arduzon et l'extrémité du jardin. Tu semblais plongé dans une profonde méditation. A ta vue, ma raison acheva de s'égarer. Mon amour captif se rua hors des limites que je lui assignais. Sans savoir ce que j'allais te dire, je m'élançai vers toi.

Une buée chaude montait de la rivière, une odeur de menthe sauvage et de terre remuée s'affirmait avec la naissance du jour.

« Pierre, je n'en puis plus! »

Haletante, je me tenais devant toi dans la lumière grise du matin. Je devais avoir l'air d'une démente sous mon voile noir, avec mes joues en feu, ma respiration saccadée. D'une main, je comprimais les pulsations de ma poitrine, de l'autre, j'agrippais ton bras.

« Pierre, je t'en prie, écoute-moi! Laisse-moi te dire ma détresse, qui est infinie. Je suis à bout de résistance... »

Des sanglots me déchiraient la gorge.

« Je t'aime aussi violemment qu'autrefois, Pierre! Je n'oublie rien. Je ne m'habitue pas. Vois-tu, mon bien-aimé, je suis encore jeune et terriblement vivante. Je n'étais pas faite pour être nonne, je n'en ai pas la vocation. Tout ce que j'ai subi depuis ma prise d'habit, c'est pour t'obéir que je m'y suis pliée et je souffre atrocement de ce faux-semblant! Mon cœur reste avec toi. Il lui est impossible d'être sans toi. Laisse-moi t'aimer, t'approcher, t'avouer ce qui m'étouffe, me comporter, enfin, comme une épouse que je n'ai jamais cessé d'être! »

Les bras croisés sur la poitrine, tu me considérais intensément. En un geste que tu avais souvent pour m'écouter, au temps de notre bonheur, tu penchais un peu la tête sur l'épaule gauche. Tes yeux me scrutaient jusqu'à l'âme. Tu ne prononças pas un mot.

Durant un temps qui me parut éternel, nous demeurâmes liés l'un à l'autre par nos regards. Dans le tien, je lisais une tendresse alarmée, une prière émouvante, un appel à ce qu'il y avait de meilleur en moi. Tu faisais passer en ce message muet une charité si pressante, tant d'insistante exigence que, tout à coup, je rougis de mes transports et de mon exaltation.

Lâchant ton bras, je reculai de quelques pas. Tu restas immobile, sans cesser de m'observer.

La cloche de l'oratoire sonna pour l'office de prime. Son tintement me rappela à l'ordre. J'enfonçai mes mains tremblantes dans mes larges manches, je baissai la tête et fis demi-tour afin de me diriger vers la chapelle où l'on m'attendait.

C'était fini. Mon ultime et maladroite tentative de rapprochement avait échoué. Sous peine de me montrer odieuse, je ne pouvais plus risquer, dorénavant, le moindre geste étranger à mon état. Par ton silence, par ton attitude pleine de fermeté, tu m'avais mieux dicté ma conduite que par un long discours. Je me le tins pour dit et ne t'entretins plus que de questions ayant trait à notre abbaye. La pierre du tombeau s'était refermée sur moi!

Durant les visites que tu multipliais alors pour nous rendre service, je m'efforçais de te présenter un visage serein, un sourire sans ombre. Tu le voulais ainsi, je n'avais pas le choix. Afin de trouver la force qu'il me fallait pour jouer ce rôle, je me tournais, ainsi que j'avais récemment appris à le faire, vers l'œuvre à réaliser, vers le développement de cette maison qui était tienne par fondation. Plus je travaillais pour le Paraclet, plus je contribuais à l'agrandir, à l'améliorer, plus j'éprouvais la sensation réconfortante de suivre ton exemple. En me comportant de la sorte, ne te contentais-je pas absolument? Je sais à présent que tu attendais de moi bien autre chose que des corvées soigneusement exécutées. Je le savais sans doute déjà. Mais je me persuadais du contraire.

C'est à cette époque que je pris l'habitude de faire ajouter à notre récitation quotidienne des heures, plusieurs oraisons particulières dites à ton intention. Je ressentais une douloureuse joie à prier ainsi publiquement pour toi, à prolonger mes incessantes et secrètes intercessions en ta faveur par des dévotions où j'entraînais mes filles consentantes et approbatrices. Sur mon instigation, d'ailleurs, tout le couvent vouait un culte à son maître et fondateur. Tes séjours de plus en plus fréquents affermissaient non seulement mon âme, mais celles des autres moniales qui ressentaient une grande fierté à être conduites par un pasteur tel que toi.

Une fois de plus, hélas! le scandale te guettait. Tes allées et venues au Paraclet firent bientôt jaser. Il y eut de bonnes langues pour insinuer que tes visites, malgré ta mutilation, étaient provoquées par le désir de retrouver, sous le voile de religieuse, la femme que tu avais tellement aimée autrefois.

Ces racontars me furent rapportés. Je les traitais par

le mépris. Ils parvinrent aussi à tes oreilles. Avec ta sensibilité exacerbée, tu souffris de la malveillance qui te poursuivait en tout lieu. Peut-être, afin d'apaiser l'opinion, aurais-tu espacé tes passages parmi nous, si la vie qu'on te faisait mener à Saint-Gildas ne t'avait été si pesante. Entre nos murs, tu trouvais une paix dont tu éprouvais le plus pressant besoin. Aussi, décidant d'ignorer les calomnies et venant chercher dans notre havre le calme qui te faisait si cruellement défaut en Bretagne, tu continuas un certain temps à nous prodiguer tes conseils, tes exemples et tes dons.

Les mois qui s'écoulèrent alors me furent moins durs à vivre que les années précédentes. En dépit des tentations qui continuaient à m'assaillir, je puisais dans ta présence du réconfort et beaucoup de courage.

J'étais également soutenue par le rapide accroissement des richesses et de la renommée de notre monastère. On s'intéressait à nous un peu partout dans le pays. Cadeaux et aliénations de propriétés venaient agrandir notre domaine, embellir ton oratoire, remplir les caves et les celliers que j'avais fait construire.

Notre réputation de piété et de discipline s'était répandue dans tout le royaume. Nous recevions des marques de respect et d'admiration de provinces éloignées, et on nous écrivait de fort loin pour nous féliciter ou nous demander des prières.

Il se trouva alors, à l'automne de 1131, que le pape Innocent II, qui voyageait en France où il visitait églises et abbayes, vint à passer dans nos parages. Je profitai de son séjour à Auxerre pour obtenir de lui une bulle nous confirmant dans la possession perpétuelle des biens reçus ou à recevoir. Sa Sainteté se montra extrêmement bien disposée à notre égard et des plus bienveillantes. Elle alla jusqu'à bénir nos protecteurs, à menacer de malédiction nos persécuteurs éventuels. Le pape, enfin, nous fit le grand honneur de nous nommer « ses chères filles en Jésus-Christ ».

Dès lors, les progrès de notre communauté ne furent

plus entravés par rien ni par personne. Je pus me consacrer sans risque à la direction de plus en plus absorbante du Paraclet, dont je m'attachais à faire rayonner le nom à travers le pays tout entier.

Je dus, sans doute, éprouver trop de satisfaction dans l'accomplissement de cette œuvre qui me rapprochait de toi plus que de Dieu, et une nouvelle période noire s'ouvrit alors pour moi qui me croyais sauvée, succédant à celle de relatif équilibre que je venais de goûter.

Tu étais reparti une fois de plus pour Saint-Gildas, ainsi que tu en avais l'habitude. Comme tu ne m'écrivais jamais, j'ignorais à chaque départ la durée de ton absence et la date de ton retour. J'attendais donc, ainsi que j'avais appris à le faire, le moment doux et amer où tu nous reviendrais.

Mais tu ne revins pas. Une saison passa, puis une autre, un hiver, un printemps, un été. Nous demeurions dans l'ignorance. Au bout d'un an de ce silence, je sentis mon âme chanceler. Que t'était-il arrivé? Pourquoi nous abandonnais-tu? Où te trouvais-tu? Une inquiétude mortelle s'empara de moi. Je savais de quelles mauvaises intentions tes moines bretons étaient animés contre toi. T'avaient-ils maltraité, emprisonné, torturé?

D'aussi sombres craintes me jetaient dans des accès d'abattement d'où me tiraient brutalement des sursauts de révolte. Comment pouvais-tu me délaisser ainsi? Etais-je donc si peu pour toi que tu me laissasses sans nouvelles pendant tant de mois? Dans notre passé, rien ne t'inspirait-il donc la pensée de me soutenir par ta venue, ou du moins me consoler de loin par une lettre? M'écrire t'aurait si peu coûté! tu ne pouvais oublier les nœuds étroits qui nous liaient l'un à l'autre. Les méprisais-tu? Allais-je retomber, comme au temps d'Argenteuil, dans un marasme d'où tu ne viendrais plus jamais me tirer?

J'étais au comble de l'angoisse et de la révolte quand, alors que je ne l'espérais plus, je reçus un message. Il ne m'était cependant pas adressé. Cette épître, fameuse, trop fameuse, retraçait pour un ami affligé l'histoire de tes propres tribulations. Rien n'y était dissimulé et notre histoire s'y étalait en toutes lettres. Un hasard l'avait fait parvenir jusqu'à moi. Je la dévorai. Chaque ligne me transperça.

J'y appris les raisons de ton silence. Persécuté, trahi, et même menacé de mort par tes propres moines qui avaient essayé à plusieurs reprises de t'empoisonner – allant jusqu'à verser de la ciguë dans ton vin de messe –, puis, devant l'insuccès de leur traîtrise, payant des brigands pour te poignarder, tu t'étais vu obligé de consacrer ton temps et tes forces à lutter contre leur vilenie. Une chute de cheval, survenue alors que tu errais de refuge en refuge pour fuir tes fils indignes, mit le dernier point à tes épreuves, en te brisant les vertèbres du cou. Tu restas longtemps malade. Très affaibli, affreusement abattu, tu résolus de te désintéresser du monde pour ne plus consacrer ce qui te restait de vie qu'au service de Dieu. Tu terminais ton épître en citant la parole du sage : « Le juste ne sera pas attristé quoi qu'il arrive. »

Ainsi donc, la Providence ne désarmait pas et te maintenait dans les périls et les humiliations!

Tout le courroux, tout le ressentiment qui couvaient en moi depuis si longtemps éclatèrent enfin avec la véhémence d'une tempête.

Je ne pouvais plus me taire! Le cri que n'avaient pu m'arracher ni nos bonheurs saccagés, ni mon entrée en religion, ni les années désertiques d'Argenteuil, ni ta froideur, ni mes déceptions, cette lettre où tu te confiais à un autre, cette lettre torturante le libéra enfin!

C'est alors que je t'écrivis la première de ces missives dont on a, hélas, tant parlé! Je te l'adressai sous la souscription suivante : « A son maître, ou plutôt son père; à son époux, ou plutôt son frère; sa servante, ou plutôt sa fille; sa femme ou plutôt sa sœur; à Abélard, Héloïse. »

Toute la complexité de nos relations tenait en ces quelques mots. La suite n'était qu'une plainte passionnée, l'appel au secours d'une femme plongée dans la plus extrême misère affective et spirituelle. J'achevais en te réclamant, à défaut de ta présence, une lettre de consolation. « Si tu ne le fais à cause de moi, fais-le du moins pour que, puisant dans ton langage des forces nouvelles, je vaque avec plus de ferveur au service de Dieu », disais-je en terminant.

Je t'avais écrit sous le coup d'une émotion sans bornes. Aussi n'espérais-je point être exaucée; que tu m'aies entendue m'importait seulement. Ce fut donc avec autant de surprise que de trouble que je reçus, peu de temps après, une réponse de ta main. Elle était adressée : « A Héloïse, sa bien-aimée sœur dans le Christ, Abélard, son frère en Lui. »

Le ton en était affectueux, raisonnable. Tu y parlais de ma sagesse et de mon zèle. Tu m'offrais tes conseils écrits aussi souvent que j'en aurais besoin et tu réclamais mes prières pour te soutenir dans les luttes qu'il te fallait livrer. Tu me demandais, en outre, si tes ennemis venaient à t'assassiner, d'enterrer ton corps dans notre cimetière du Paraclet. Enfin, tu m'adjurais de reporter sur le salut de ton âme la sollicitude trop vive où me jetaient tes périls corporels.

A ton envoi, tu avais joint un psautier que tu m'adressais afin qu'il me servît à offrir au Seigneur un perpétuel holocauste d'oraisons pour expier nos fautes communes, si nombreuses, et pour conjurer les dangers qui te menaçaient.

Je vis bien la voie que tu m'indiquais avec discrétion et fermeté dans ces lignes entre lesquelles il fallait savoir lire, mais, tel un volcan, mon cœur était en pleine éruption et je ne me sentais pas délivrée des laves brûlantes qui y étaient encore enfermées. Je repris une seconde fois ma plume, bien résolue à me décharger de tout ce qui m'étouffait encore.

Cette seconde lettre, plus longue, plus ardente que la précédente, contenait l'aveu de ma faiblesse, de mes tentations, de mon impuissance à aimer Dieu plus que toi. J'y mettais à nu le tréfonds de mon âme et les tourments de ma chair. J'y criais la vérité, afin que tu ne pusses plus prétendre l'ignorer. Je te conjurais de croire que je n'étais pas guérie de ma passion, que je ne pouvais me passer du secours de tes soins; j'y repoussais l'affreuse perspective de ta perte et je me refusais à tes louanges, non par fausse modestie, mais par crainte de tomber dans un dangereux pharisaïsme. Je t'avouais, enfin, ne pas encore accepter les arrêts de la Providence à notre égard et ne jamais ressentir la grâce efficace de mon état religieux.

C'était un bilan. Il était inquiétant.

Ta réponse fut aussi rapide et exaltée que la mienne.

Après un préambule de ton modéré, tu te laissais emporter par ton désir de me convaincre, de me convertir, devrais-je dire, à la seule adoration qui fût permise, qui fût salutaire : celle de Dieu!

Par mes soins, tu venais enfin d'être mis en face d'une vérité que tu t'étais jusqu'alors refusé à considérer comme elle devait l'être : celle de ma constance et de mon obstination. L'abbesse du Paraclet, si louée pour ses mérites, demeurait indéfectiblement ton Héloïse et n'avait pas un instant cessé de t'idolâtrer. Cette découverte te bouleversa. Conscient, soudain, de la responsabilité qui t'incombait dans le drame de ma claustration et de mon renoncement au monde alors que je n'avais pas de vocation, tu sentis la nécessité d'intervenir, de m'aider à cheminer sans défaillance sur la voie douloureuse où, seul, tu m'avais engagée.

Ces lignes véhémentes, Pierre, je les sais presque toutes par cœur. Elles furent mon plus sûr viatique par la suite, tant je me les récitai de fois aux heures de fléchissement. Elles m'aidèrent souvent, mais, vois-tu, je ne crois les comprendre qu'aujourd'hui.

Retranchée derrière mes positions, je n'y vis longtemps que le témoignage de ta propre foi, joint à un espoir, allant parfois jusqu'à la rudesse, de me ramener à la source de toute vérité. Je ne pouvais accepter une telle évolution. Par orgueil sans doute, et par opiniâtreté. Je m'entêtais dans mes revendications, estimant avoir assez sacrifié de moi-même et de mon amour, sans avoir encore à me dépouiller de l'âcre satisfaction qui me restait : celle que je ressentais en secret à cultiver ma douleur, à m'emmurer dans mon refus.

Oui, ce texte admirable que tu m'écrivis de Saint-Gildas, Pierre, voici que j'en pénètre enfin le sens, que les écailles me tombent des yeux! Tu m'y incitais à mieux examiner les raisons de notre double châtiment : « Vous reprochez à Dieu notre conversion quand vous devriez l'en remercier. J'avais pensé que la considération des desseins si manifestes de la miséricorde divine avait depuis longtemps effacé de votre âme ces sentiments d'amertume, sentiments dangereux pour vous, dont ils usent le corps et l'âme, et, par là même, d'autant plus pénibles et plus douloureux pour moi... Songez, en entrant dans la voie de la piété, que la béatitude est le but du voyage, et que les fruits de ce bonheur seront d'autant plus doux que nous les goûterons ensemble. »

Tu m'y démontrais ensuite que ce qui était arrivé se révélait, à la réflexion, aussi juste qu'utile. A l'appui de ton assertion, tu dressais le compte de nos fautes, tu insistais sur leur gravité, sur nos débordements, sur notre trahison à l'égard de mon oncle, sur ton penchant à la luxure : « Comparez le danger et la délivrance. Comparez la maladie et le remède. Examinez ce que méritaient nos péchés et admirez les indulgents effets de la bonté de Dieu. »

Tu t'accusais ensuite des pires turpitudes, dont, par délicatesse, tu m'excluais volontairement : « Vous savez à quelles impudicités les emportements de ma passion avaient voué nos corps... Je brûlais pour vous d'une telle ardeur que, pour ces voluptés infâmes dont le nom seul me fait rougir, j'oubliais tout, Dieu, moi-même : la clémence divine pouvait-elle me sau-

ver autrement qu'en m'interdisant à jamais ces voluptés? »

Puis tu m'adjurais de m'unir à ton action de grâces,
comme j'avais été unie à ta forfaiture et à ton pardon.
Tu m'expliquais que notre mariage, que je maudissais,
avait été voulu par Dieu, puisque tu lui devais d'être
débarrassé de la cause de tes souillures, et que, sans
lui, j'aurais été retenue dans le siècle après ta mutilation et avilie par une existence médiocre. Les enfants
que j'eusse enfantés dans le monde n'étaient que peu
de chose en regard de la famille spirituelle que je
formais chaque jour dans la paix du couvent :
« Quelle déplorable perte si vous n'étiez qu'une
épouse, vous qui, à présent, surpassez les hommes,
vous qui avez transformé la malédiction d'Eve en la
bénédiction de Marie! Quelle profanation si ces mains
sacrées, habituées maintenant à feuilleter les Livres
saints, étaient vouées aux vulgaires besognes du commun des femmes! »

Tu me parlais aussi de l'amour pur, de l'amour du
Christ pour les humains, pour moi : « Il vous a payée,
achetée, non au prix de Ses biens, mais au prix de
Lui-même; c'est de Son propre sang qu'Il vous a
achetée, rachetée. Voyez quel droit Il a sur vous, et
combien vous Lui êtes précieuse. Qu'a-t-Il cherché en
vous, si ce n'est vous-même? Celui-là est l'amant
véritable qui ne désire que vous et non ce qui est à
vous; celui-là est l'amant véritable qui disait en mou-
rant pour vous : « Il n'est point de plus grand témoignage d'amour que de mourir pour ceux qu'on aime. »
C'est Lui qui vous aimait véritablement et non pas
moi. Mon amour à moi, qui nous enveloppait tous
deux dans les liens du péché, n'était que concupiscence : il ne mérite pas ce nom d'amour. J'assouvissais
sur vous ma misérable passion, voilà tout ce que
j'aimais! Pleurez votre Rédempteur et non votre cor-
rupteur, Celui qui vous a sauvée, non celui qui vous a
perdue! »

Le souffle brûlant de ce passage me laissait mal à l'aise, mais ne me convainquait pas. O Pierre, il m'est de plus en plus évident, en évoquant ces phases de notre lutte, que je me cramponnais farouchement à mes rancœurs par amour-propre plus que par amour pur!

Tu me suppliais ensuite d'accepter le coup qui nous avait séparés et d'adorer la main qui nous l'avait infligé : « Le Père emploie le fer pour trancher le mal, il blesse le corps et guérit l'âme. Un seul a souffert de la blessure et deux ont été sauvés de la mort. »

Puis, te référant à mes aveux, tenant compte des transes que je t'avais décrites, tu m'exhortais à les considérer sous un jour nouveau. Ce n'étaient pas des manquements transformant ma vie monacale en une perpétuelle hypocrisie, mais des épreuves salvatrices : « A celui qui combat sans relâche appartient la couronne, et il n'y aura de couronné que celui qui aura combattu jusqu'au bout. »

Après cette réhabilitation de mes tourments, après l'espoir dont tu éclairais ma route, tu me demandais de souffrir en notre nom à tous deux : « Pour moi, je n'ai pas de couronne à attendre, puisque je n'ai plus de combat à soutenir. Je ne me plains pas, pourtant, de voir diminuer mes mérites tandis que je m'assure que les vôtres augmentent, car nous ne faisons qu'un en Jésus-Christ; par la loi du mariage, nous ne faisons qu'une seule chair. Tout ce qui est à vous, je l'adopte comme mien. Or, Jésus-Christ est à vous, puisque vous êtes devenue son épouse... Aussi, est-ce en votre appui auprès du Christ que je mets mon espoir, pour obtenir par vos prières ce que je ne peux obtenir par les miennes. »

Quelle plus haute union, quel but plus élevé pouvais-tu me proposer, Pierre?

La prière si belle que tu joignais à ta lettre afin que je la dise en ton nom au Seigneur, cette prière que, soir et matin, depuis lors, j'ai récité avec mon Pater, vais-je, enfin, aujourd'hui, la redire dans la sincérité de mon âme, sans restriction, dans l'éclatement de mon opposition, de mon orgueil, de mon entêtement?

« Dieu, qui, dès le commencement de la création, avez, en tirant la femme d'une côte de l'homme, établi le grand sacrement du mariage, Vous qui l'avez honoré et élevé si haut, soit en Vous incarnant dans le sein d'une épouse, soit en commençant Vos miracles par celui des noces de Cana, Vous qui avez jadis accordé, de quelque manière qu'il Vous ait plu de le faire, ce remède à mon incontinente faiblesse, ne repoussez pas les prières de Votre servante; je les verse humblement aux pieds de Votre divine majesté pour mes péchés et pour ceux de mon bien-aimé. Pardonnez, ô Dieu de bonté, que dis-je? ô Dieu qui êtes la bonté même, pardonnez à nos crimes si grands, et que l'immensité de Votre ineffable miséricorde se mesure à la multitude de nos fautes. Je Vous en conjure, punissez les coupables en ce monde, épargnez-les dans l'autre. Punissez-les dans cette vie d'un jour, afin de ne les pas punir dans l'éternité. Armez-vous contre Vos serviteurs de la verge de la correction, non du glaive de la colère. Frappez la chair pour conserver les âmes. Venez en pacificateur, non en vengeur, avec bonté plutôt qu'avec justice, en père miséricordieux, non en maître sévère.

« Eprouvez-nous, Seigneur, et tentez-nous, ainsi que le prophète le demande pour lui-même : « Eprou-« ve-moi, Seigneur, sonde-moi, fais passer au creuset « mes reins et mon cœur. » Ce qui revient à dire : examinez d'abord mes forces et mesurez-leur le fardeau de mes tentations. C'est ce que saint Paul promet à Vos fidèles, lorsqu'il dit : « Le Dieu tout-puissant ne « souffrira pas que vous soyez tentés au-dessus de vos « forces, mais avec la tentation, Il ménagera aussi le « secours pour que vous puissiez la supporter. »

« Vous nous avez unis, Seigneur, et Vous nous avez séparés quand il Vous a plu, comme il Vous a plu. Ce que Vous avez commencé dans la miséricorde, achevez-le dans un comble de miséricorde. Ceux que Vous avez, un jour, éloignés l'un de l'autre en ce monde, unissez-les à Vous pour toujours dans le ciel, ô notre espérance, notre partage, notre attente, notre consolation, Seigneur qui êtes béni dans les siècles. Ainsi soit-il. »

Ainsi donc, Seigneur, c'est à cet aboutissement que Vous me conduisiez : reconnaître que Pierre avait raison, que j'avais tort et que, depuis mon entrée en religion, je suivais la mauvaise route! Mon amour humain, j'ose le proclamer, avait été sans reproche, je l'avais vécu pleinement, totalement assumé. En revanche, ma vie de religieuse se soldait par une suite de révoltes, de marchandages, de compromissions. Qu'avais-je fait d'autre que de mener une double existence? A la fois supérieure d'une abbaye bénédictine et femme follement éprise; abbesse exemplaire et créature insoumise au verdict de Dieu!

Dans cette lettre dont je reconnais enfin le message, ô Pierre! tu m'incitais à transfigurer, à sublimer notre amour en le fondant dans celui du Christ. Le Seigneur a dit : « Je suis le chemin, la vérité et la vie. » Cette voie est la seule par laquelle les fidèles peuvent rentrer de l'exil dans la Patrie. Tu m'invitais de toutes tes forces à la suivre, à te suivre, Pierre. Vais-je enfin accepter de mettre mes pas dans tes pas?

16 MAI 1164

Sans effort apparent, l'abbesse se redressa sur sa couche. Elle ouvrit les yeux. Dans l'infirmerie où pénétrait la blonde lumière de mai, chacun priait autour du lit drapé de toile. Le regard de la mourante glissa d'un orant à l'autre avant de se fixer sur l'un d'eux. Elle se prit à rougir. Comme autrefois, son teint clair trahissait toutes ses émotions.

« Mon fils, dit-elle après un instant, mon fils, vous voici donc! »

Au bruit de sa voix, les têtes s'étaient levées. Arraché à sa prière, Pierre-Astralabe considérait sa mère avec des yeux que voilait encore la contemplation intérieure d'où il émergeait.

« Approchez, je vous prie. »

Il se leva et marcha vers celle qui l'appelait. Parvenu contre les draps, il s'immobilisa.

« Je vous remercie d'être venu pour m'assister, dit Héloïse d'un air grave. Votre présence me réconforte et m'allège. Puisque vous vous trouvez près de moi alors que je m'en vais, c'est que Dieu a eu pitié. »

Elle parlait sans effort apparent, comme si la souffrance des heures précédentes l'avait quittée.

« Il fallait que je puisse vous revoir avant de mourir, mon fils, il le fallait absolument. »

Le prêtre se pencha vers l'agonisante. Il était bouleversé.

« Ma mère, que puis-je pour vous?

— Beaucoup. Beaucoup plus que vous ne le pensez. »

Héloïse s'interrompit pour regarder celles qui se trouvaient rassemblées à son chevet.

« Devant ces témoins, reprit-elle avec décision, devant ces amies, devrais-je plutôt dire, qui me connaissent et connaissent mes faiblesses, je veux m'accuser d'une faute qui me pèse à présent, qui me pèse lourdement. Ecoutez bien, vous toutes! Une dernière fois, avant de vous quitter, je dis très humblement ma coulpe en public et ce n'est pas pour confesser une peccadille. C'est d'abandon et de détachement maternel qu'il s'agit! Je n'ai pas su aimer cet enfant comme il le méritait, comme il y avait droit. Absorbée par un autre amour, je me suis détournée de lui et l'ai laissé sans tendresse. »

Elle marqua un temps d'arrêt pour respirer avec difficulté, comme si, de nouveau, un poids pesait sur sa poitrine.

« Pierre-Astralabe, me pardonnerez-vous? demanda-t-elle d'une voix plus cassée. Vous sentez-vous capable de me pardonner mon indifférence et mon manque d'affection?

— Je vous en supplie, ma mère...

— Ce n'est pas une parole de complaisance, mon fils, que je vous demande, dites-vous-le bien. C'est d'une absolution pleine et entière que j'ai besoin, d'une absolution qui me délivre de ce remords et du remords de ne pas l'avoir éprouvé plus tôt. »

La mourante se tut. Un grand silence plana sur l'infirmerie.

Pierre-Astralabe, le front baissé, se recueillait. Enfin, il redressa la tête.

« De toute mon âme, et en toute connaissance de cause, ma mère, je vous pardonne, dit-il avec un respect infini. Dieu vous avait désignée pour une tâche autrement importante que celle qui consistait à m'élever : Il vous avait choisie pour incarner l'amour et pour le porter à son plus haut sommet! Qu'Il vous bénisse ainsi que je le fais. »

D'un geste tendrement déférent, le fils d'Héloïse

dessina le signe de la bénédiction sur la coiffe de lin, puis, dans un mouvement d'hommage filial, il prit la main de la mourante et la baisa.

« Allez en paix, conclut-il. Vous voici en ordre avec vous-même. »

Héloïse se laissa retomber en arrière. Un moment, son fils tint ses doigts entre les siens, puis il les reposa sur le crucifix que l'abbesse portait sur sa poitrine.

Alors seulement, il glissa à genoux contre le lit, pour unir ses prières à celles de sa mère.

Tu m'avais demandé, Pierre, de ne plus t'importuner de mes plaintes. Ainsi que je l'ai toujours fait, je me soumis à ta volonté en y pliant la mienne. Inconsolable mais muette, déchirée mais obéissante, je me conformai à tes désirs et ne te parlai plus de mes sentiments.

Pour autant, je n'étais pas guérie. Je ne le fus jamais. Pendant toute ma vie, j'accomplis mon devoir sans l'aimer et employai mon énergie bien plus à m'astreindre au silence qu'à tenter de transformer mon cœur!

Cependant, si je parvins à ne plus t'entretenir de mon adoration, il était au-dessus de mes forces de demeurer sans aucun échange avec toi. Je t'écrivis donc une autre lettre où, pour que tout soit net entre nous, je m'engageais à ne plus aborder le sujet qui te déplaisait et à ensevelir mon amour au plus secret de moi. Je ne te cachai pas le terrible effort qu'il me faudrait accomplir pour parvenir à un tel résultat. Afin que tu saches, malgré tout, à quoi t'en tenir, et en dernier rappel, je mis une suscription qui était, à elle seule, une déclaration dont le sens ne pouvait t'échapper : « Celle qui est à Dieu spécialement, mais à toi singulièrement. »

Tels furent mes ultimes mots d'amoureuse. Depuis lors, pas une phrase, pas une allusion de moi n'a trahi le combat dont je n'ai, jusqu'à ce jour, pas cessé d'être le terrain.

Je continuais ensuite ma missive sur un tout autre ton. M'adressant alors à toi, non plus ainsi qu'à mon époux, mais comme au père de notre communauté, je te demandai des renseignements sur les origines de notre vie monastique et te réclamai un statut nouveau composé à notre usage, pour des femmes, et non pour des hommes. En effet, la règle de saint Benoît qu'observaient les religieuses comme les religieux ne me semblait pas nous couvenir parfaitement. D'expérience, je savais qu'elle offrait bien des imperfections. Notre faiblesse physique ne pouvait s'accommoder sans dommage de la discipline trop rude que pratiquaient les moines.

Je t'exposai donc mes arguments et te proposai quelques accommodements. Pourquoi, par exemple, les moniales ne se verraient-elles pas autorisées à boire du vin avec modération et à manger un peu de viande ? Nous y gagnerions en vigueur, nos travaux en bénéficieraient, et le couvent ne s'en trouverait que mieux servi. Dans des corps mal nourris, l'âme manquait de vitalité et s'étiolait misérablement. En revanche, soutenus par de robustes santés, nos esprits ne seraient que plus à l'aise pour se consacrer à la prière et à l'adoration. De même, libérées des servitudes qui les surchargeaient, mes filles se livreraient avec une ardeur accrue au service de Dieu. Ces questions, qui, au premier abord, ne semblaient viser qu'à notre mieux-être, concernaient en réalité notre épanouissement spirituel et nous procuraient le moyen d'y parvenir.

Je m'attachai également à te réclamer un emploi du temps conçu de manière que les travaux manuels nous prissent moins de temps que le plus sacré de nos devoirs : l'office divin. Je proposai encore certaines autres modifications, qui pouvaient toutes se résumer par le sens inné que j'avais de la mesure. Vois-tu, Pierre, je tenais beaucoup à la suppression des corvées purement matérielles, ou, tout au moins, à leur atténuation, en faveur d'une recherche toujours plus poussée de la vie mystique. Je sentais si intimement la prépondérance de la foi sur les œuvres, moi qui, accomplissant sans défaillance celles-ci, me sentais avec horreur tellement dépourvue de celle-là!

Je dus, sur ce point, traduire ta propre conviction. Tu me répondis par l'envoi de deux traités qui exauçaient mes désirs. Tu m'y approuvais sans restriction et nous donnais les réglementations demandées. Elles englobaient toutes nos activités, tout notre temps : aussi bien le moindre détail de notre organisation pratique que celui de notre comportement religieux. Pas une seconde de nos jours ou de nos nuits n'y échappait. Suivant mes remarques, notre nourriture elle-même subissait des améliorations : deux repas par jour nous étaient permis, sauf pendant le temps de jeûne où nous nous contentions d'un seul dîner. Un peu de viande, un peu de vin, des légumes en abondance, parfois du poisson. De fruits qu'au souper. Si notre pain ne devait pas être blanc comme celui des opulents, mais contenir un tiers de grains non blutés, il était distribué avec largesse, ainsi que les autres aliments, et nulle limite quantitative n'était assignée à notre appétit.

Je t'avais écrit : « C'est à toi, ô mon maître, d'établir de ton vivant ce que, toujours, nous maintiendrons. »

Il m'était doux, vois-tu, de régler mes habitudes sur celles que tu avais jugé bon de nous dicter; de songer que tu savais tout de notre existence, que rien ne t'en était étranger, que ta pensée pouvait me suivre sans erreur tout au long de mes jours.

Une fois en possession de ce nouveau programme, je n'eus plus qu'un but : l'appliquer à la lettre, et, par sa rigoureuse observance, faire du Paraclet un des plus importants couvents de femmes du pays.

Je crois pouvoir affirmer en toute vérité que j'y suis parvenue. Sur mes indications, des ouvriers maçons transformèrent les bâtiments déjà existants. Ils en construisirent d'autres de toutes pièces. Une enceinte de pierre nous isola du monde, tout en nous défendant de lui. Alentour, nos champs, nos vignes, nos bois furent cultivés, soignés, taillés par des paysans que je pouvais enfin rétribuer.

Suivant tes instructions, j'avais nommé parmi mes filles six intendantes chargées, chacune en particulier, d'une administration déterminée. La prieure, qui devait me seconder en toutes choses : éducation et instruction des moniales, surveillance de la librairie, des copies de manuscrits et de leurs enluminures, aide à la célébration des offices, distribution des travaux aux religieuses, élaboration des directives quotidiennes. La sacristine, ou trésorière, qui avait la charge de l'oratoire et de sa très sobre décoration. L'infirmière – pauvre sœur Margue que j'écoute si mal! –, dont les compétences médicales devaient être exemplaires, se voyait confier le soin de veiller sur la santé morale et physique du monastère. La maîtresse des novices, ou robière, s'occupait de ce que les peaux, la laine et le lin de nos domaines fussent transformés en vêtements, linges et literie pour la communauté. Elle distribuait la couture et le tissage aux autres sœurs. La cellérière était préposée à tout ce qui touchait aux nourritures terrestres : cave, réfectoire, cuisine, moulin, boulangerie, jardin, verger, champs, ruches, volailles, bétail. La portière, elle, gardait l'entrée du monàstère, recevait les visiteuses que je n'admettais à séjourner que sept jours sous notre toit. Passé ce délai, il leur fallait s'en aller ou prendre le voile.

Secondée de la sorte, je pouvais surveiller scrupuleusement mon troupeau, contrôler ses allées et venues, ses pratiques et jusqu'à ses pensées. Mon autorité était absolue, mais, pour me garder de l'orgueil du pouvoir, je devais me plier aux mêmes consignes que mes ouailles : pauvreté, chasteté, silence.

Afin de me conformer le plus étroitement possible aux actcs du Seigneur, il me revenait de laver les pieds des pauvres que nous accueillions toujours, de me montrer envers eux douce et humble de cœur. Je devais aussi être sans cesse présente au milieu de mes filles, manger et dormir parmi elles, me vêtir comme elles, ne me singulariser en rien. En signe discriminatoire, je portais seulement l'anneau d'or et la croix pectorale. Aux fêtes carillonnées, je tenais la crosse abbatiale.

Ainsi donc, au Paraclet, une organisation rigoureuse distribuait les occupations, mais je veillais à ce qu'elles ne fussent jamais excessives. Débarrassées des grosses besognes, les moniales, selon mon vœu, s'adonnaient désormais sans souci à une existence qui, tout en affirmant la prépondérance du spirituel sur le temporel, leur permettait de ne pas mépriser leurs corps si elle exaltait leurs âmes. Aucune d'entre elles, par exemple, n'était autorisée – sauf maladie – à s'absenter de l'oratoire pendant la récitation des huit heures canoniques, ou durant la messe, mais, entre les offices, elles avaient des récréations où il leur était loisible de se détendre.

Les travaux intellectuels, eux aussi, avaient leur place dans notre emploi du temps. Nous devions nous livrer quotidiennement à la méditation et à la lecture des Livres sacrés. Par ce truchement, d'ailleurs, j'intervenais directement dans la formation des esprits. Aussi souvent que faire se pouvait, j'octroyais à celles qui le désiraient des leçons de latin, de grec ou même d'hébreu, sans omettre, naturellement, de diriger l'étude des Saintes Ecritures.

Ainsi passèrent plusieurs années. Jamais je ne restais désœuvrée, jamais je ne m'accordais de repos. En permettant à ma pensée de s'arrêter dans sa course, en me réservant le temps de me reprendre, l'inaction eût été pour moi plus malfaisante qu'un surcroît de travail. Bien au contraire, l'acharnement que j'apportais à ma tâche me procurait, avec une armée de soucis, l'apaisement du devoir accompli.

Il serait vain de nier que ma nature entreprenante et industrieuse ait puisé une certaine satisfaction dans l'accomplissement d'une œuvre aussi grandiose, aussi lourde de responsabilités. Je me battais sur tous les fronts : vie spirituelle, recherche intellectuelle, règlementations matérielles et intérêts temporels du monastère, rien ne me paraissait impossible à entreprendre!

Je devais posséder en moi, à mon insu, une considérable réserve d'énergie. L'édification du Paraclet l'utilisa. Je dois reconnaître que, si je pus me sauver du naufrage où risquait de m'engloutir l'anéantissement de notre vie amoureuse, ce fut à cette entreprise que je le dus. Sa difficulté contribua à me doter d'une force neuve, d'une stabilité que je croyais impossible à recouvrer.

Pour parvenir à mes fins, je ne reculai devant aucune requête, devant aucune démarche : en 1137, j'obtins de Louis VII, notre nouveau souverain, une charte royale dispensant à perpétuité notre abbaye de payer des droits sur l'achat ou la vente des produits de première nécessité. Une bulle du pape Innocent II renouvela, sur ma demande, la confirmation de nos privilèges et droits de propriété. Il était, en effet, indispensable de nous faire réaffirmer par de si hautes autorités l'acquisition de nos nouvelles possessions : demeures, forêts, vignobles, rivières et moulins venus s'ajouter, au fil des jours, à la liste de ce que nous devions à la générosité de nos amis.

Vers cette époque, je constatai soudain en moi un côté « bonne ménagère » qui se complaisait dans l'énumération et la mise en valeur de ces biens matériels que j'avais si longtemps méprisés. Il me restait, Dieu merci, assez d'esprit critique pour m'en moquer moi-même. Ne savais-je point que ces richesses-là n'étaient que des prêts à nous consentis par le Seigneur? Rien ne nous appartenait, tout était à Lui. Il me revint qu'un jour tu avais dit : « Tout ce que nous possédons au-delà du nécessaire est nôtre par rapine! »

Encouragée par ton exemple et pour ne rien renier de ton enseignement, je me détournai donc volontairement de cette satisfaction assez basse, et me plongeai de nouveau dans l'étude de la théologie.

Pendant ces années d'élaboration et de construction, d'ailleurs, tu ne cessas pas de me fortifier, Pierre, par un échange épistolaire auquel j'attachais le plus grand prix.

La nécessité de demeurer en contact avec toi, mon cher amour, m'incitait à entretenir cette correspondance avec assiduité. Je pris donc l'habitude de t'écrire pour te demander des explications au sujet des difficultés théologiques que mes filles et moi rencontrions au cours de nos études. Si tu ne vis là qu'une curiosité de l'esprit doublée d'un louable besoin d'information, il me faut avouer que le secret désir d'occuper ta pensée et la préoccupation de te montrer combien je t'obéissais en toute chose l'emportaient de beaucoup dans mon âme.

Quoi qu'il en soit, j'atteignis mon but. Tu nous envoyas d'abord la réponse aux quarante questions qui nous avaient embarrassées et que j'avais groupées pour te les adresser. Puis, sur ma sollicitation, tu écrivis ton *Hexameron*, commentaire complet de la Genèse. Je te réclamai, peu de temps après, des hymnes pour agrémenter notre liturgie. Tu en composas cent trente-trois, dont certaines admirables que je chantais avec ravissement et ferveur, plus en hommage, il faut bien l'avouer, à ton talent qu'à la gloire de Dieu!

Malgré le surcroît de travail que je t'imposais de la sorte, il m'était si précieux de communiquer ainsi avec toi que je te priai par la suite d'écrire des sermons à notre propre usage. Tu acceptas ce nouveau devoir avec ta bonne grâce accoutumée et tu me les envoyas avec une lettre presque tendre où tu me disais, entre autres : « Vous qui fûtes naguère mon épouse par la chair, et qui êtes maintenant ma sœur dans la vie religieuse... »

Fallait-il, Pierre, que tu sois sûr de moi pour te permettre, si tardivement, un rappel de notre passé!

Je sus ne pas abuser de ce mouvement d'un cœur qui, sans m'oublier, s'était donné à Dieu, et je conservai dans ma réponse le ton impersonnel que tu souhaitais y trouver. Ce ne fut point là sagesse de ma part, en ce qui te touchait je n'en avais aucune, mais prudence et prévoyance.

Comme ton existence agitée ne te permettait pas de venir me rendre visite, il m'importait plus que tout de maintenir nos relations épistolaires. Par ce moyen, je restais liée à ta destinée, je poursuivais près de toi ton pénible cheminement.

En effet, et bien que tu aies quitté Saint-Gildas de façon définitive, ton existence n'en demeurait pas moins menacée. Revenu à Paris, tu avais repris, en dépit de tes promesses antérieures et avec un mépris absolu du danger, tes cours sur la montagne Sainte-Geneviève ainsi que la rédaction de plusieurs ouvrages. Tu en profitas également pour réviser certains de tes écrits et en composer de nouveaux.

Tout de suite intéressé, le public lettré te suivit comme il le faisait toujours. La séduction de ton génie était telle qu'il y avait immanquablement, au cours de tes réapparitions, une foule avide pour te lire ou t'écouter.

Hélas! une fois de plus, ton succès te fut fatal! Mais ce ne furent plus d'obscures jalousies qui précipitèrent ta chute. Une voix tonnante s'éleva contre toi, capable d'appeler à son aide les foudres divines! Alerté par un sien ami que l'audace de tes livres avait effrayé au-delà de toute expression, Bernard de Clairvaux, après un temps de réflexion, s'ébranla. Il alla te trouver, par deux fois, pour te conseiller sur le mode amical de modifier tes opinions et de ne pas exciter tes élèves contre l'orthodoxie. C'était mal te connaître! Il n'était pas dans tes possibilités de mettre un frein à ta fougue. Je t'ai toujours vu dévoré du besoin d'expliquer aux autres la marche de ta pensée. Cette fois-ci, pourtant, tu aurais dû sentir l'importance de la menace. Tu passas outre.

Or, en 1140, Bernard rencontra à Cîteaux un de tes disciples avec lequel il eut l'occasion de converser. Il s'inquiéta, en mesurant ton influence sur cet esprit délié et, par voie de conséquence, sur la jeunesse en général. En homme habitué à se faire écouter, il adressa aussitôt au pape et aux cardinaux romains des messages où, avec son éloquence enflammée, il parlait de ton action et de toi-même avec beaucoup de sévérité.

Cette intervention fit un bruit énorme. Tout le monde en discutait. C'est ainsi que j'en fus informée au Paraclet par notre évêque. L'angoisse familière des sombres jours d'Argenteuil m'investit une nouvelle fois. Avec un adversaire de la taille de Bernard de Clairvaux, qu'allait-il advenir de toi?

J'avais raison de m'alarmer. Les événements se précipitèrent bientôt de la plus implacable façon. Notre roi, Louis VII, avait en effet choisi le dimanche après la Pentecôte pour se rendre à Sens visiter une exposition solennelle des reliques de la cathédrale. A cette occasion, une grande foule était venue pour saluer le jeune souverain. On décida donc de profiter de ce concours inhabituel de peuple pour réunir un concile restreint.

C'est alors, Pierre, que tu eus la mauvaise idée de demander à l'évêque de la ville qu'on organisât un débat public entre toi et Bernard. Tu estimais qu'une telle conjoncture te permettrait d'exposer tes opinions à la face du Ciel. C'était prendre trop de risques! Mais tu conservais encore des restes de cette superbe confiance en toi qui t'avait toujours soutenu et dont tu ne parvins à te défaire qu'à l'heure dernière.

Bernard commença par refuser ce duel oral. Il n'aimait pas, disait-il, qu'on débattît sur le mode dialectique des choses de la foi.

Hélas! Tu t'étais échauffé à la perspective d'une joute aussi extraordinaire et tu avais averti tes amis de la date du débat. Ne pouvant plus se récuser, Bernard écrivit aux évêques de la province pour leur demander de venir assister au combat qu'il lui fallait bien accepter.

Tenue au courant de ce qui se préparait, je ne

cessais de trembler pour toi, en priant Dieu de te venir en aide. Malheureusement, la volonté divine n'était pas avec nous. Il te fallait, sans doute, descendre encore de plusieurs degrés dans l'apprentissage de l'humilité, vertu si contraire à ta nature! Tu n'étais pas arrivé au bout de tes peines, Pierre, et le Seigneur ne te tiendrait quitte que plus tard, lorsque, dépouillé de tout, tu accepterais de te soumettre sans revendication à Ses décrets.

Le 3 juin, donc, qui était, je m'en souviens, un lundi, le lendemain de l'octave de la Pentecôte, le concile s'ouvrit à Sens. Tous les hauts et puissants personnages du royaume, aussi bien laïques qu'ecclésiastiques, entouraient, à ce qu'on m'a dit, le roi et ses conseillers. En chaire, au milieu des prélats et des clercs, Bernard de Clairvaux t'attendait, auréolé de son prestige de sainteté.

Debout au centre de la salle, tu lui faisais face. Tout de suite, il passa à l'attaque. Cet homme de roc estimait qu'aucune de tes thèses n'était défendable. La témérité de tes assertions le courrouçait. Pour lui, la foi n'était pas un sujet de discussion. On la possédait ou on ne la possédait pas. La Vérité était un tout qu'on ne pouvait permettre à chacun de remettre en question.

Il fit lire par un clerc dix-sept propositions extraites de tes ouvrages, qu'il jugeait pernicieuses, et t'accabla aussitôt après sous un déluge de citations tirées de l'Écriture.

Quand on me raconta ce qui se produisit ensuite, je commençai par refuser de le croire. Comment, tu t'étais dérobé sans combattre, toi dont je connaissais le courage! Tu t'étais enfui! Interrompant ton adversaire, tu avais déclaré devant tout le monde que tu récusais le concile. Sans même tenter de justifier ton œuvre, de te justifier toi-même, tu avais ensuite quitté la salle en proclamant bien haut que le pape, seul, était habilité pour te juger!

L'impression produite n'était pas difficile à imaginer. Tu fis l'unanimité contre toi. Ce fut donc en ton absence que le synode condamna comme hérétiques quatorze des dix-sept propositions que tu n'avais pas défendues.

Dès le lendemain, deux lettres, relatant par le menu les événements qui venaient de se produire, furent envoyées au pape. Elles ne devaient pas être tendres à ton égard! L'une était signée de l'archevêque de Sens et de ses évêques, l'autre de l'archevêque de Reims et de ses évêques. De son côté, Bernard de Clairvaux adressa au Saint-Père une missive personnelle dans laquelle il réclamait ton interdiction au titre d'ennemi de l'Eglise. Il y avait joint un traité fort documenté contre ta méthode critique et certains de tes concepts.

Le résultat de ces démarches ne se fit pas attendre! Au début de juillet, Innocent II envoya un rescrit à Bernard de Clairvaux, ainsi qu'aux archevêques de Sens et de Reims, pour condamner ta doctrine tout entière et, bien entendu, les propositions incriminées. En outre, il excommuniait tes disciples et t'imposait un silence définitif au fond d'un cloître d'où tu ne sortirais plus. Chaque exemplaire de tes ouvrages devait également être détruit par le feu.

Tout était dit. C'en était fait de ton enseignement. L'esprit le plus brillant, le plus doué, le plus audacieux aussi de notre temps, était muselé, abattu, relégué dans l'ombre d'un monastère! Tes ennemis triomphaient, tu étais écrasé!

Si le coup fut dur pour toi, Pierre, il le fut aussi pour moi. Je connaissais ta foi. Elle ne pouvait être mise en doute. Je l'avais même souvent trouvée trop intransigeante quand elle t'éloignait de moi. Mais elle avait aussi éclairé ma route. Tu m'en avais fourni mille preuves dans tes écrits et bien plus encore dans les exemples que ton existence vouée à Dieu n'avaient pas cessé, depuis vingt ans, de me proposer. Et on t'accusait d'hérésie! Ton seul but, pourtant, était d'expliquer la religion, de porter la lumière jusque dans ses obscurités. En souhaitant la rendre compréhensible à tous, tu ne pensais qu'à la rendre plus proche de tous! Je savais ta ferveur et ta sincérité, ô toi, le plus passionné des chrétiens! Ta maxime : *La foi à la recherche de l'intelligence, l'intelligence à la recherche de la foi,* ne saurait être suspectée. N'était-ce pas toi qui aimais à répéter cette vérité que « la raison venant de Dieu, Dieu et la raison ne pouvaient se contredire »?

Je passais des heures crucifiantes, dans ma cellule, à retourner chaque aspect de ta dégradation. Je souffrais de ta souffrance, comme toutes les fois où tu t'étais trouvé en butte à la persécution, mais aussi, hélas! de la mienne propre. Je dois avouer, Pierre, qu'à la pure douleur qui me transperça quand on m'apprit ta condamnation, vint bientôt s'ajouter un sentiment d'amertume que j'osais à peine accueillir au secret de mon cœur : m'étais-je donc vouée, sans vocation, sans appel, à une vie monacale semée de ronces et de fiel, afin de découvrir au bout de vingt ans que l'homme pour lequel j'avais sacrifié ma part de joies terrestres était rejeté de Dieu?

Nous ne sommes pas responsables de nos pensées mauvaises lorsque nous nous refusons à nous y attarder et que nous les repoussons avec horreur. Je ne serai donc pas jugée sur une telle vilenie, car je ne m'y attardai pas. Néanmoins, il m'en demeura un malaise, une impression de faute qui, joints à ma peine et à mon indignation, me portèrent à accabler de ma haine Bernard de Clairvaux.

Seigneur, pardonnez-moi maintenant cette hostilité tournée contre un de vos élus. Je m'en repens. Elle jaillissait à cette époque de mon cœur avec mes larmes, et je ne pouvais pas l'empêcher de se répandre.

Dans l'éclairage où je me trouve aujourd'hui, je vois mieux les raisons qu'avait Bernard de redouter les hardiesses doctrinales de mon maître. Pour ce cistercien, auquel on ne peut dénier le don d'intelligence et d'érudition, la foi vécue fut toujours supérieure aux démarches intellectuelles. Ce grand mystique pensait que l'amour d'une âme pleine d'humanité était supérieur aux recherches de l'esprit. Peut-on l'en blâmer? Parvenue au bout de ma route, il me semble que Bernard de Clairvaux n'avait pas tort.

D'ailleurs, Pierre, ne fis-tu pas, toi aussi, amende honorable en te réconciliant avec lui? Trop dissemblables pour avoir des chances de vous entendre, vous n'en finîtes pas moins par faire la paix. Un respect plus fort que vos dissentiments vous rapprocha après ces orages.

Cependant, quand je sus la sentence qui te brisait, Pierre, je ne fus que plaie vive et me sentis incapable de pardonner.

C'est alors que je reçus ta dernière lettre. C'était beaucoup plus qu'un message ordinaire : c'était un testament spirituel, le suprême témoignage de ton estime et de ton attachement à mon égard. Je fus remuée jusqu'aux entrailles de ce que, du fond bourbeux de ta défaite, et renonçant pour toujours aux luttes où tu excellais, tu aies songé à m'écrire, à moi seule, pour m'accorder la plus grande preuve de confiance qu'il te fût possible de me donner. Sans renier notre amour, tu t'adressais à moi comme à un arbitre essentiel pour confesser ta foi. Tu le faisais en termes si nobles, si élevés, que toutes les attaques qu'on avait dirigées contre ta pensée s'écroulaient d'elles-mêmes. Ton credo était une adhésion totale à la doctrine chrétienne, un acte d'abandon et d'amour sans réserve envers Dieu.

« Je ne veux pas être philosophe, s'il faut pour cela me révolter contre saint Paul. Je ne veux pas être Aristote, s'il faut pour cela me séparer du Christ, car il n'y a pas sous le ciel d'autre nom que le Sien en qui je doive trouver mon salut... », disais-tu avant de réciter avec une fidélité absolue le Symbole des Apôtres.

Ainsi qu'il convenait à l'épouse que je n'avais jamais cessé d'être, je devenais enfin la gardienne légitime de ta croyance, le témoin de ton ultime engagement.

Puisque, après m'avoir choisie au temps de ma jeunesse, tu m'élisais encore en mon âge mûr comme refuge de ce qu'il y avait de plus précieux en toi, tu pouvais bien, après cela, interrompre notre correspondance pour te murer dans le silence. J'étais pourvue contre le désespoir et l'isolement. Enclose dans mon cœur, en sûreté entre mes mains, ta profession de foi nous unissait plus sûrement que la présence charnelle à laquelle je n'avais plus droit. Devenue ta moitié par le mariage, j'étais aussi, à présent, de moitié dans ton accomplissement!

A mon tourment, succéda soudain, grâce à ce don que tu me fis, l'impérissable certitude de ne pas m'être sacrifiée en vain. A travers tant de vicissitudes, m'ayant conservé ton affection, tu me donnais, avec une telle preuve de constance à mon égard, un gage éternel de solidarité.

Il ne me restait plus qu'à me remettre à l'ouvrage, à continuer mon œuvre au Paraclet, consciente de l'importance du dépôt dont tu m'avais fait la détentrice, et bien décidée à passer ce qui me restait de vie à prier pour toi, à m'unir à toi dans l'oraison dont tu m'avais laissé le modèle.

Là encore, Seigneur, je m'accuse de m'être conformée en tout à l'attitude de Pierre, moins par souci de Vous que par besoin de l'accompagner jusqu'au bout du chemin. Son amour fut toujours mon guide, Vous le savez, mon Dieu. Je m'aperçois, d'ailleurs, qu'en le suivant c'est vers Vous que j'étais conduite. Longtemps, je préférai l'ignorer. En ces derniers moments, je ne puis plus me duper davantage.

Avant sa mort, Pierre me légua sa foi, cette foi qu'il avait pris soin de transcrire à mon intention pour que je ne m'égare pas. Ce fut mon héritage!

Depuis vingt-deux ans que je prie nuit et jour pour lui, j'ai fini, sans le vouloir, par m'imprégner de sa ferveur, par admettre son acceptation. Il ne me manquait plus que d'en prendre conscience, que de me soumettre en connaissance de cause à Votre volonté.

Je vais bientôt te rejoindre, Pierre, toi qui mourus d'édifiante façon. Aide-moi, en cette heure difficile, à me dépouiller de ce qui me reste d'orgueil pour le déposer, avec mon pauvre corps, aux pieds du Seigneur. Je sens que mon temps est proche. Il ne me reste plus grand-chose à extraire de moi. Bientôt, j'aurai achevé mon long cheminement vers la lumière.

Après la notification de l'arrêt qui te rayait du nombre de ceux qui ont le droit de s'exprimer, après cette suprême épreuve, tu décidas, dans un désir bien compréhensible de justification, de partir pour Rome, afin de plaider en personne ta cause devant le pape. C'était le sursaut final de cet orgueil qu'on t'a si durement reproché.

En cela non plus, tu ne devais pas obtenir satisfaction. Tes forces déclinantes ne te permirent pas d'aller au bout de ton intention. De couvent en couvent, pauvre pèlerin honni des tiens, tu entrepris ce voyage que tu ne devais pas finir. La route était trop longue et toi trop affaibli. La sentence qui venait de te condamner t'avait frappé au cœur. Malade, épuisé par plus de soixante ans de traverses, tu te vis contraint de t'arrêter assez vite, bien avant l'Italie.

Ton dernier havre fut, Dieu merci, un havre de grâce. En signe de rémission, le Seigneur te permit enfin de rencontrer un homme de bien qui devint ton ami.

C'est en Bourgogne, non loin de Mâcon, que tu trouvas l'hospitalité. L'abbaye de Cluny, célèbre entre toutes, renommée dans l'Europe entière, mère d'innombrables filiales, rayonne sur tout l'Occident par sa magnificence et sa générosité. Sûr d'y être bien reçu, on vient des frontières les plus lointaines pour s'y recueillir et assister au déroulement des plus belles cérémonies liturgiques qui soient.

Ce ne fut cependant pas un tel prestige qui t'attira,

Pierre, et te retint. Ce fut la personnalité exceptionnelle de son supérieur. Pierre le Vénérable fut un des
abbés, un des hommes les meilleurs dont on ait jamais
entendu parler. Sage, pieux, et parfaitement bon, il
était la charité et la délicatesse mêmes. Au lieu de
repousser le proscrit que tu étais, il tint à te recevoir
comme l'envoyé du Seigneur. Fort lettré, il connaissait
tes œuvres et salua en toi le philosophe et le théologien
de génie qu'il n'avait jamais cessé d'admirer. Un des
rares à savoir démêler dans tes écrits la part essentielle,
celle qui demeurait d'une orthodoxie irréprochable, il
te manifesta son approbation de la plus déférente
façon. L'affection qu'il ne craignit point de te témoigner, de surcroît, dut te toucher infiniment.

J'ai souvent remercié la Providence d'avoir mis
auprès de toi, alors que tous t'abandonnaient, cet être
admirable qui protégea ta fin. Grâce à lui, il te fut
permis d'achever tes jours dans la tranquillité et le
recueillement.

A Cluny, on t'accueillit avec respect et admiration,
comme le maître malheureux mais illustre que tu
n'avais pas cessé d'être. On t'entoura de soins. Pierre
le Vénérable aplanit toutes les difficultés devant toi. Il
s'entremit afin que tu te réconciliasses avec Bernard de
Clairvaux, car votre différend était un scandale pour
les croyants. Tu te rendis donc auprès de lui, dans son
propre monastère, et vous fîtes la paix.

Par ailleurs, Pierre le Vénérable écrivit au pape une
lettre où il implorait pour toi le pardon de Sa Sainteté.
Il y faisait mention de ton rapprochement avec Bernard de Clairvaux, assurait que tu étais prêt à rétracter
les erreurs que tu avais pu commettre, et que tu lui
avais dit être fermement décidé à t'abstenir désormais
de toute interprétation arbitraire des textes. Il infor-
mait également Innocent II de ton désir de demeurer à
jamais entre les murs de Cluny, à l'abri des tempêtes
oratoires et des joutes doctrinales.

C'était là une façon fort adroite d'amener le pape à
te consolider dans ta propre détermination. Ainsi que

tu y avais été condamné, tu promettais de rester enfermé dans un cloître où tu te ferais oublier. En revanche, tu étais assuré de demeurer à Cluny où tu avais enfin trouvé l'harmonie et la sérénité dont tu éprouvais un si pressant besoin. Ton ami réclamait encore pour toi le droit de recommencer à enseigner dans l'enceinte de son monastère, uniquement.

Tout lui fut accordé. Dès lors, rétabli dans tes droits et privilèges de prêtre, tu pus, jusqu'au terme fixé, prier, professer, méditer et te préparer au départ.

Je fus informée de ces circonstances par Pierre le Vénérable lui-même. En effet, dès que j'avais connu le lieu de ta retraite, j'avais envoyé à cet ami providentiel quelques cadeaux destinés à lui prouver ma gratitude pour ce qu'il faisait envers toi. Après ta mort, il m'envoya sans tarder une lettre où il me fournissait tous les éclaircissements que je pouvais souhaiter. A des remerciements et des éloges pleins de tact sur mes réalisations dans la vie religieuse, il joignait beaucoup d'explications au sujet de tes derniers mois : « Sur la vie exemplaire, remplie d'humilité et de dévotion qu'il a menée parmi nous, il n'est à Cluny personne qui ne puisse rendre témoignage... Dans ce grand troupeau de nos frères, où je l'invitais à prendre la première place, il semblait toujours, par la pauvreté de ses vêtements occuper la dernière... Ainsi faisait-il pour le manger, pour le boire, pour tous les soins du corps. Tout ce qui était superflu, ce qui n'était pas absolument indispensable, il le condamnait par sa parole et par son exemple... Sa lecture était incessante, sa prière assidue, son silence persistant... Il s'approchait des sacrements, offrant au Seigneur le divin sacrifice aussi souvent qu'il le pouvait... Son esprit, ses paroles, ses actes étaient voués sans discontinuer à la méditation, à l'enseignement, à la manifestation des choses divines, philosophiques et savantes. Ainsi vécut parmi nous cet homme simple et droit, craignant Dieu et se détournant du mal. »

Je fus infiniment reconnaissante à celui qui devint

mon ami après avoir été le tien de m'avoir procuré un tel apaisement à propos de ces mois durant lesquels le silence t'avait englouti. Ce me fut une profonde consolation que d'apprendre combien tu avais trouvé à Cluny de déférence, de calme pacificateur et d'efficace bonté.

Mais ta fin approchait. Après un séjour de près d'un an en ce monastère, une maladie humiliante acheva de t'épuiser. Comme tu avais besoin du repos le plus absolu, Pierre le Vénérable t'envoya au prieuré de Saint-Marcel, à Chalon-sur-Saône, où l'air était réputé pour sa salubrité. Tu y séjournas peu. La mort vint t'y surprendre dans l'exercice de tes pieuses occupations. Quand tu te sentis perdu, tu tins à faire une confession générale devant tes frères réunis. Tu affirmas de nouveau ta foi et reçus enfin le viatique du suprême voyage. En communiant, tu recommandas ton âme et ton corps au Seigneur, en ce monde et dans l'éternité, puis, quittant cette terre pour aller rejoindre le divin maître, tu t'endormis dans la paix.

C'était le 21 avril 1142. Dès le 25, je savais. Un messager que m'avait envoyé l'abbé de Cluny m'apprit mon deuil. Des années interminables de froid et de vide commençaient pour moi.

Mon être même se sentait mutilé. Je ne pense pas que mes filles m'aient trouvée plus triste après ta disparition qu'avant, mon état dépassait toute tristesse. Il se réduisait à l'absence, une absence qui creusait en moi un vide que ni Dieu ni les hommes ne pouvaient combler.

Toi perdu, que me restait-il, à moi?

Je crus fort simplement que, telle une lampe privée d'huile, j'allais m'éteindre à mon tour. J'attendais avec impatience le visiteur furtif qui me délivrerait de ce corps de mort. Il ne vint pas. Ce fut la dernière pénitence imposée pour mes fautes passées, l'ultime châtiment.

« Toute mauvaise fin est la conséquence d'un mau-

vais commencement », t'avais-je écrit un jour. Cette
relégation de vingt ans fut une fin qui s'éternisait.

Comme toujours, mon seul refuge fut l'action. Je
pouvais enfin m'occuper de toi. Après avoir reçu la
très belle lettre de notre ami, je lui répondis pour lui
demander assistance. Je ne sus que plus tard qu'on
t'avait enterré là où tu étais mort, à Saint-Marcel. En
revanche, je n'avais pas oublié que tu avais instam-
ment exprimé le désir de reposer au Paraclet. Il fallait
donc t'y faire venir. Je le dis à Pierre le Vénérable, et
j'attendis.

Agissant alors en véritable frère, cet homme dévoué
décida d'enlever ta dépouille mortelle, à l'insu des
moines de Saint-Marcel qui, se félicitant de posséder
les restes d'un homme aussi célèbre, n'auraient pas
admis ce transfert.

Le seizième jour des calendes de décembre, il arriva
au Paraclet, sous la neige, pour me rendre ce corps que
j'avais tant aimé. Il dit une messe à ton intention, ô
mon Pierre disparu! et assista à mes côtés à l'inhuma-
tion qui eut lieu au pied du grand autel de ton
oratoire.

Par une ironie où je vis aussi un peu de pitié, la
mort exauçait enfin mon plus constant désir et te
donnait à moi pour toujours.

J'avais perdu la moitié de mon âme, mais je possé-
dais près de moi ce qui restait de mon amour.

Malgré mon déchirement, je tins à tout mettre en
ordre. Comme j'éprouvais désormais envers Pierre le
Vénérable une respectueuse amitié, je lui écrivis pour
lui réclamer quelques derniers services : un sceau
contenant en termes clairs ton absolution, mon bien-
aimé, afin que je fusse à même de la suspendre à ton
tombeau; une lettre scellée confirmant le privilège
d'un tricénaire à célébrer par Cluny après ma mort en
vue du repos de mon âme; et, enfin, par un souci
maternel bien tardif, je lui demandais de se souvenir
de notre fils, Pierre-Astralabe, dont je m'étais si peu

occupée, et de lui obtenir quelque prébende de l'évêque de Paris ou d'ailleurs.

Tout fut fait selon mes vœux.

Il ne me restait plus qu'à te survivre. Nul ne sut ce qu'il m'en coûtait. Seuls, les murs de ma cellule pourraient dire combien de larmes cette prolongation d'une existence sans objet m'a fait verser. Me réfugiant dans l'oraison, je priais pour toi sans relâche. Matin et soir, je me recueillais longuement sur ta tombe, dont je changeais les fleurs chaque jour.

Dans le même esprit, je me consacrais au couvent que tu avais fondé. Tu m'avais tracé la voie. Enfoui au fond de moi, mon chagrin ne m'empêcha jamais d'accomplir ma tâche. Quand tu étais vivant, je m'y étais appliquée. Toi parti, rien n'était changé. Je savais que ton esprit approuvait mes actions et m'encourageait, de l'invisible.

Dans sa première missive, Pierre le Vénérable m'avait écrit : « Vous ne devez pas seulement brûler comme un charbon, mais, comme une lampe, vous devez à la fois brûler et éclairer. »

En me dévouant totalement au Paraclet, je pouvais espérer servir de lumière à quelques-unes et réchauffer certains courages abattus.

Je me donnais donc tout entière à mon œuvre. Elle était lourde, complexe, souvent ingrate, mais une énergie indomptable me menait. Je voyais en elle la seule manifestation possible de mon amour posthume. Elle me portait.

Beaucoup de cœurs généreux m'aidèrent dans mon entreprise. La fille de Denise, notre Agnès, était venue me rejoindre avec sa sœur Agathe qui est morte depuis. C'est une religieuse ardente et fine. Je l'ai nommée prieure pour qu'elle me succède quand le moment en sera venu. Sa lucidité et sa fermeté me soutinrent souvent. Dame Adélaïde, ne sachant plus quel don me faire, me confia sa sœur Ermeline, et toutes deux demeurèrent mes meilleures amies.

Les biens de notre abbaye ne cessant de s'accroître,

et mes filles se multipliant à mesure que s'étendait notre renommée, il me fallut un jour songer à fonder des dépendances et des filiales de notre maison. J'en créai six, au cours des ans. Leur ensemble forme un ordre, l'ordre du Paraclet, dont le prestige est immense.

Toutes observent fidèlement la règle que tu nous donnas, Pierre, et, pour être certaine que nulle n'y changerait jamais rien, je fis codifier ton règlement. Bien à contrecœur et parce que les circonstances l'exigeaient parfois, j'ai dû, sur quelques points de détail, apporter certaines modifications. Ce fut sans importance. Je ne cessai jamais d'agir selon tes vœux et de suivre en tout tes commandements.

A présent, mon ouvrage est achevé. Le Paraclet jouit d'une réputation sans seconde et ta fondation fait l'admiration de tous.

Je puis m'en aller. Mais où vais-je me rendre? Me recevrez-Vous, Seigneur? N'est-ce pas plutôt l'enfer qui m'attend? Ne serai-je pas éternellement privée de Vous, privée de Pierre?

Mon Dieu, ayez pitié!

Je m'accuse d'avoir commis le plus impardonnable des péchés : j'ai préféré la créature au Créateur! Je le sais. Et, soudain, Dieu! je m'en repens.

Seigneur, ayez pitié!

Pierre m'avait dit, un jour, que toute prière devait se ramener à « que Votre volonté soit faite ». Qu'Elle le soit donc, Seigneur, la Vôtre et non la mienne.

Mon cœur, ce cœur qui s'affaiblit de minute en minute, je Vous le remets, mon Dieu. S'il a, pendant si longtemps battu pour un autre, ses derniers sursauts Vous seront dédiés. J'incline enfin mon front révolté, et je dépose ma soumission entre Vos mains.

Des portes de l'enfer, éloignez mon âme, Seigneur, Vous qui êtes la miséricorde.

Pierre, toi qui dois prier pour moi depuis que tu m'as quittée, joins, je t'en supplie, ta voix à la mienne! Intercède pour moi auprès de Dieu. Il faut que nous soyons unis dans l'éternité comme nous l'avons été ici-bas. Il faut que nous nous retrouvions à jamais.

Notre ami, Pierre le Vénérable, ne m'avait-il pas écrit : « Sœur très chère dans le Seigneur, celui à qui tu fus d'abord unie dans la chair, puis liée par un nœud d'autant plus fort qu'il était plus parfait, le lien de la charité divine, celui avec et sous l'autorité de qui tu as servi Dieu, c'est le Christ qui l'abrite à présent dans son sein, à ta place et comme un autre toi-même; Il te le garde, pour qu'à la venue du Seigneur descendant du ciel parmi la voix de l'archange et le son de la trompette, par sa grâce, il te soit rendu. »

Que tu me sois rendu, que je te sois donnée, et que Dieu nous pardonne!

16 MAI 1164

Dans la lumière de miel, des abeilles ivres de pollen tourbillonnaient autour des massifs de seringas. La cloche de tierce ne dérangea pas plus leur bourdonnement qu'elle ne troubla les prières des moniales. Les unes et les autres, connaissant l'urgence et l'importance de leur mission, s'affairaient sans discontinuer.

Après tierce, ce serait la messe quotidienne. Chacune des religieuses communierait afin que la révérendissime mère fût, à l'heure fixée, reçue par Dieu en son paradis. Aussi imploraient-elles avec ferveur le Seigneur d'absoudre cette grande âme et d'en avoir merci.

Vénérée et admirée de tous, leur abbesse ne pouvait pas être écartée du bonheur céleste. Si elle l'était, qui d'entre elles y serait admise?

Dans l'Apocalypse de saint Jean, il était dit : « Heureux les morts qui s'endorment dans le Seigneur. Ils peuvent se reposer de leurs travaux, car leurs actes les suivent. »

Héloïse n'avait-elle pas, à son actif, plus d'actes charitables que personne d'autre? La Chrétienté tout entière la respectait. Sa mort causerait deuil et peine profonde. Religieux, laïques, pauvres et riches la pleureraient. De cette femme dont tous connaissaient l'érudition, la générosité, l'humanité et le courage, mais aussi les épreuves, les luttes et le triomphe, le pays entier se glorifiait.

Ses filles ne pouvaient pas concevoir pour elle autre chose qu'une apothéose. Personne ne le pouvait.

Toujours agenouillée au chevet de l'agonisante, mère Agnès, voyant le masque pâle se crisper, se creuser sous ses yeux, songeait, elle aussi, à la béatitude qui attendait cette âme exceptionnelle.

Soudain, ouvrant de nouveau les paupières, mais sans bouger, cette fois, et d'une voix affaiblie bien que distincte, Héloïse parla :

« Mon fils, Agnès, mes amies, récitez avec moi, je vous prie, le *Miserere* », ordonna-t-elle avec douceur.

Sans la perdre du regard, chacun commença :

> Pitié pour moi, Seigneur, en Ta bonté,
> en Ta tendresse efface mes péchés;
> lave-moi de toute malice
> et de ma faute, Seigneur, purifie-moi.
>
> Car mon péché, moi, je le connais,
> ma faute est devant moi sans relâche;
> contre Toi, Toi seul, j'ai péché,
> ce qui est mal à Tes yeux, je l'ai fait.

Sans que personne s'en aperçût, Héloïse n'alla pas plus avant. Une douleur brutale lui traversait la poitrine.

« Seigneur, Seigneur, je m'en vais vers Vous qui êtes la Résurrection et la Vie, et qui avez dit : « Celui qui croit en moi, même s'il meurt, vivra. »

« Je veux vivre en Vous, Seigneur! Je Vous aime!

« Laissez-moi seulement, je Vous le demande, confesser mon erreur à ceux qui n'ont jamais cessé de me faire confiance. Il faut que je leur avoue ma rébellion intime et combien ils m'honoraient à tort. Il faut que je leur dise mon repentir d'à présent et ma soumission à Votre volonté. Ils ont le droit d'être informés. Je veux leur parler pour mourir sans ombre, avant de me retrouver dans Votre lumière... »

La mourante leva une main pour signifier qu'elle désirait s'exprimer. Se soulevant avec peine, elle fixa son regard sur la tête de son fils, toujours incliné près d'elle, et commença :

« Je suis heureuse de pouvoir vous... »

Une nouvelle douleur, fulgurante comme l'épée de l'ange, la renversa sur son lit.

« Elle passe! » cria sœur Margue.

La prieure s'était redressée. Elle s'approcha de la gisante qui demeurait sans mouvement, les yeux ouverts, sans souffle et sans pouls. Une expression d'étonnement joyeux se reflétait dans ses prunelles.

L'infirmière approcha des lèvres entrouvertes un miroir d'étain poli. Aucune buée ne le ternit.

Mère Agnès se pencha, et, avec un respect infini, ferma du pouce les paupières d'Héloïse avant de la baiser au front. Puis, se laissant tomber à genoux, elle entama la prière pour les défunts.

DU MÊME AUTEUR

LE BONHEUR EST UNE FEMME (Les Amants de Talcy),
Casterman. (Epuisé.)
LA DAME DE BEAUTÉ (Agnès Sorel),
Editions de La Table Ronde.
TRÈS SAGE HÉLOÏSE, Editions de La Table Ronde.
Ouvrage couronné par l'Académie française.
LA CHAMBRE DES DAMES *(préface de Régine Pernoud)*,
Editions de La Table Ronde.
Prix des Maisons de la Presse, 1979.
Grand Prix des lectrices de *Elle*, 1979.
LE GRAND FEU, Editions de La Table Ronde.
Grand Prix littéraire de la société amicale
du Loir-et-Cher à Paris, 1985.
Grand Prix catholique de littérature, 1986.
LES RECETTES DE MATHILDE BRUNEL,
Flammarion *(en collaboration avec Jeannine Thomassin)*.
Prix de la Poêle de fer. Prix Charles Moncelet.

IMPRIMÉ EN FRANCE PAR BRODARD ET TAUPIN
Usine de La Flèche (Sarthe).
LIBRAIRIE GÉNÉRALE FRANÇAISE - 43, quai de Grenelle - 75015 Paris.

ISBN : 2 - 253 - 04062 - 2   ✧ 30/6279/1